20대 아빠의 저출산 Talk

20대 아빠의 저출산 Talk

발 행 | 2023년 12월 14일
저 자 | 황선우
펴낸이 | 한건희
펴낸곳 | 주식회사 부크크
출판사등록 | 2014.07.15.(제2014-16호)
주 소 | 서울특별시 금천구 가산디지털1로 119 SK트윈타워 A동 305호
전 화 | 1670-8316
이메일 | info@bookk.co.kr

ISBN | 979-11-410-5987-3

www.bookk.co.kr

20대
아빠의
저출산
Talk

황선우 지음

목차

Part 1. Life & Culture

Part 2. People & Culture

Part 3. Works & Culture

Part 1. Life & Culture

__문화는 너다

지난해 썼던 책 제목이다. 『문화는 너다』(황선우 저, 2022). '문화'라고 하면 가수, 배우, 음악, 영화 등만 생각하는 사람들이 많아 그게 아님을 전하고 싶어 쓴 책이다. 이것들도 물론 문화가 맞지만 모두 '좁은 의미의 문화'에 해당한다. 어떤 사람들은 그중에서도 국민 가수나 천만 영화처럼 큰 영향력을 가진 인물(People) 혹은 작품(Works)만이 문화라고 말한다. 그들에게 전하고 싶은 말이 "문화는 너다"였다. 문화를 '넓은 의미'에서 보면 사실 당신 한 사람, 그리고 당신의 삶 (Life) 속에 있는 작은 말과 행동조차도 누군가에겐 문화가 되기 때문이다.

나는 선한 문화를 퍼뜨리는 데 기여하고 싶다는 생각에 언론사와 잡지에 문화 비평문을 써왔다. 청소년에게 가장 큰 영향을 주는 영역인 교육과 문화, 그중 인간의 '의식'을 키우는 교육도 바로 세워야 하지만 인간의 '무의식'을 키우는 문화 역시 놓치지 말아야 하기 때문이다. 그런 생각과 비전을 가진 나 역시도 자연스럽게 큰 영향력을 가진 인물 혹은 작품에 집중하며 좁은 의미의 문화를 연구하는 시간이 많았다. 물론, 그것 또한 선한 문화를 퍼뜨리기 위해 꼭 필요한 일이다.

그런데 여기서 그치면 안 된다는 생각, 즉 한 단계 더 나아가야 한다는 생각은 지난해 결혼하고서 두드러지게 떠올랐다. 가정이란 걸 꾸리다 보니, 나의 무의식을 지배해 온 문화에 대해 더 깊이 생각할 여유가 생겼다. 당장 눈앞에서 큰 영향력을 발휘하고 있는 것에 주로 관심 가지며 살아왔는데, 내가 잘 인지하지 못했더라도 분명히 나에게 큰 영향을 줬을 그 무언가까지 생각할 수 있도록 시간이 주어졌다. 이 생각에 가장 큰 도움을 준 사람은 나의 왼손잡이 동생이다. 내 동생이 왼손잡이가 된 것은 오른손잡이인 나 때문이었다. 어릴 적 늘 마주보고 밥 먹다 보니, 내가 오른손으로 밥 먹는 게 동생이 보기엔 왼손으로 먹는다고 보였나 보다. 그걸 따라 하느라고 동생은 왼손을 많이 썼고 결국 왼손잡이가 됐다. 나와 동생은 7살 차이 나기에 다 기억난다. 그 누구도 동생에게 왼손을 사용해야 한다고 교육한 적도 없고, 미디어와 사회 문화에서는 왼손을 사용하는 게 오히려 불편하다는 것을 많이 알려준다. 그런데 동생이 왼손잡이가 된 것은, 어릴 적 가정에서 보고 자란 것이 무의식적으로 습득됐기 때문이다. 이것이 넓은 의미의 문화가 가져다주는 결과다. 가정에서 보고 자란 문화는 사회적인 영향력만 보면 국민 가수나 천만 영화에 비해 아무것도 아니지만, 오른손잡이로 살 뻔했던 한 사람을 왼손잡이로 살게 할 정도로 어마어마한 영향력을 가지고 있다.

넓은 의미의 문화에 해당하는 것에는 가정, 친구, 직장 동료 등이 있다. 그중 가장 중요한 것은 단연 가정(Family)이다. 나는 경험했다. 미디어가 아무리 악한 콘텐츠를 많이 쏟아내더라도, 가정이 바로 세워져 있으면 대한민국의 다음 세대는 죽지 않는다. 그 가정의 선한 문화 속에서 자란다면 그 아이는 성인이 되어 세상에 나가 악한 문화를 마주치더라도 분별하며 걸러낼 수 있다. 이 사실을 깨닫고서 나는 먼저 나 자신을 돌아봤다. 큰 영향력을 가진 인물 혹은 작품을 연구하며 비평하는 글을 쓰는 것 역시 귀한 일이지만, 먼저 내가 좋은 남편이 되고 좋은 아버지가 되기로 했다. 그게 시작이 될 때만이 내가 큰 영향력을 가질 자격도 있거니와 큰 영향력을 가진 문화를 비평할 자격도 주어진다.

그럼 깨져 있는 가정에서 자라난 아이들은 어떡할 건가? 그 아이들에게는 교회가 가정이 되어야 한다. 아니, 그 어느 가정도 완벽하지 않기에 모든 가정이 바로 세워지기 위해서는 교회가 필요하다. 더 나아가, 가정이 교회가 되어야 하고 교회가 또 가정이 되어야 한다. 즉, 교회가 문화가 되어야 한다.

지금 이 책의 제목은 『20대 아빠의 저출산 Talk』다. 『문화는 너다』 출간 이후 저출산 문제 관련 행사에 적지 않게 초청받은 것이 이 책 집필의 계기가 되었다. 저출산 문제가 해결되기 위해서는 복지 정책만 구상할 게 아니라 근본적으로 문화가 바뀌어야 한다는 걸 알아주셨던 분들의 귀한 초청이었다. 또한, 나의 삶이 그 문화에 기여될 수 있을 거라고 전해주신 소중한 믿음이었다. 그것에 보답하고 싶고 또 내가 20대 아빠이자 작가로서 할 수 있는 최대한의 역할을 하고 싶어 이 책을 집필한다. 그래서 이 책은 '문화는 너다' 시즌 2는 아니고 시즌 1.5 정도 된다. 『문화는 너다』의 반복이면서도 새로운 버전이기 때문이다.

이 책을 쓸 수 있게 해준 나의 아내에게 감사의 마음을 전한다. 아내의 인정이 없었다면 이 책은 출간될 수 없었을 거다. 온갖 논리를 펴며 저출산 문제에 대해 선한 메시지를 전하더라도 아내가 떨떠름한 표정을 지었다면 이 책은 무의미한 종이 묶음에 불과하기 때문이다. 내가 이 책을 잘 쓸 수 있도록 기도해주고 응원해주며 이 책에 의미를 심어준 아내에게, 그리고 곧 태어날 우리 아기에게 이 책을 바친다.

__ '우리 부모님처럼 살기 싫어'

5남매의 아버지로서 방송에 출연해 가정적인 모습을 자주 보였던 가수 박지헌 씨. 그에게 여섯째가 생기자 이틀 동안 실시간 검색어 1위를 했고, 이에 한 지역의 관계자가 그에게 전화 걸었다.

"덕분에 우리 지역에 100명은 더 태어날 겁니다."[1]

출산율 높이겠다고 출산장려정책을 시행하지만 별다른 효과를 거두지 못하고, 그처럼 선한 영향력을 끼치는 한 사람이 저출산 문제 해결에 더 큰 효과를 가져온다는 것을 알고 했던 말이다.

---

1) "'라디오스타' "14년 동안 6남매 출산" 박지헌, 다둥이 아빠라는 수식어 붙으면서 바빠졌다?", 〈MBC연예〉, 2019.01.24.

결혼을 안 하겠다는 '비혼'을 선언하는 이들을 보면 좋은 가정의 모습을 보고 자라지 못한 경우가 많다. 즉, 선한 영향력을 제대로 받아본 경험이 없는 것이다. 우리는 그런 이들에게 혹은 그렇게 빠질 위험이 있는 청소년들에게 먼저 모범이 되어야 한다. 이것이 저출산 문제의 해결책이다. 출산장려 정책으로 저출산 문제가 해결되는 게 아니다. '당신' 한 사람이 선한 방향으로 나아갈 때 엄청난 잠재력이 발휘된다.

'그럼 복지 정책은 전혀 필요 없는 건가?'라며 본질을 흐리는 사람은 없길 바란다. 복지 정책이 필요한 사람도 분명히 있다. 그런 이들에게 선별적으로 지원되어야 하는 건 맞다. 하지만 무관한 이들에게도 무차별적 지원만 늘려놓겠다하니 복지 예산은 예산대로 쓰고 출산율은 오를 생각을 하지 않는다. 돈이 필요한 게 아니다. 풍족하지 않고 미래가 불투명해도 책임감 가지고 성실히 살며 얼마든지 행복한 가정 꾸릴 수 있다. 반대로, 누가 봐도 풍족한 상황이지만 가정을 꾸리려 하지 않는 사람 역시 정말 많다.

우리가 1차적으로 주목해야 하는 건, 현재 청소년과 청년들 부모 세대의 높은 이혼율이다. 깨진 가정에서 자란 아이들이 주변에서 쉽게 볼 수 있을 정도로 많다. 부모님의 삶에서 희망이 아닌 낙심만 얻고 가는 아이들이 많다. 그런 가정에서 자랐는데 자신이 누군가의 배우자이자 누군가의 부모가 되고자 하는 꿈을 어떻게 가질 수 있나.

그 아이들은 결혼 안 하는 이유로 여러 가지를 말한다.

"돈이 없어서요."

"집이 없어서요."

"아직 좋은 사람을 못 만나서요."

사실 그게 아니면서 그런다. 그들의 말을 더 자세히 들어보면, 그냥 자기 부모님처럼 살기 싫다는 것이다.

'결혼해봐야 우리 부모님처럼 사는 것 아닌가?'

'아기 낳아봐야 나 같은 애 또 태어나는 것 아닌가?'

어떤 이들은 극단적으로 반대되게, 결혼에 대해 지나친 로망을 가진다. 로망이 있는 것 자체가 나쁜 건 아니지만, 그것이 우상이 되면 결혼 생활 중 자신이 해야 할 노력과 나아가야 할 성숙을 놓친다.

이처럼 상처 안에서는 거짓된 속삭임이 스며들기 쉽다. 우리는 그런 다음 세대와 청년들에게 치유와 회복을 선물해야한다. 페미니즘과 비혼은 가정에서 받은 상처를 오히려 부풀려서 피해의식을 키우지만, 미디어와 정치권에서 동성애와 낙태 등을 옹호하는 것은 성윤리와 생명윤리를 무너뜨려 가정을 훼손시키지만, 진리와 사랑 되신 예수님은 치유와 회복을 주실 수 있는 분이다. 우리는 그 예수님을 전해야 한다. 그 과정 중에 하나님의 은혜로 우리의 삶이 큰 역할을 할 것이다.

우리의 삶을 통하여 다음 세대와 청년들에게 알려줘야 하는 건 간단하다.

"당신이 어느 환경에서 자라왔든 당신은 배우자로서 또 부모로서 행복하게 살아갈 자격이 있으며 당신은 사랑받기 합당한 사람이다."

__존경합니다, 아버지

필립 얀시의 책 『교회, 나의 고민, 나의 사랑』을 교회 담임목사님께서 설교 시간에 추천해주셨다. 몇 년 전의 나 같으면, 당시 책을 셀 수 없이 많이 읽을 때였음에도 이 책은 읽지 않았을 것 같다. 교회에서든 다른 어떤 곳에서든 리더 또는 권위자에 순종하는 자세가 되어있지 않았기 때문이다. 담임목사님이 추천해주신 책이라 한들 귀담아듣지 않았을 거다.

'굳이?'

당시 나의 입에 "꼰대"라는 단어가 늘 붙어 다녔다.

몇 년 전, 대학생 시절의 나는 하나님이 주신 '북한 선교'의 비전을 발견하고 비전을 공유하는 한 교회를 찾아갔다. 혼자 서울에 올라와 교회를 찾지 못하던 나에게 비전과 함께 정착할 교회까지 하나님이 보내주셨다. 모든 것이 하나님의 은혜였다. 하나님이 주신 비전을 위해 노력하고 성취도 하며 열정 넘치게 살았다. 서서히 나의 의를 높이기 전까지는 그랬다. 열정은 그대로 있었으나, 나의 마음에서 비전이 하나님보다 높은 자리에 올라가기 시작했다.

'역시 난 대단해!'

하나님이 주신 비전인데 그것을 망각하고 비전이 우상화된 듯한 나를 발견했다. 그러면 어떻게 되나. 젊을 때는 혈기가 넘치기 쉽다. 그런 나에게 리더, 멘토, 심지어 교회도 나를 옭아매는 존재로밖에는 보이지 않았다.

'혼자서 다 할 수 있는데 굳이?'

기독교 신앙을 버린 건 아니었지만 점점 교회를 잘 가지 않는 틈이 현상을 보였고, 교회에서 양육받는 것 또한 거부했다.

비전을 위해 글 쓰는 일을 시작하고 작가를 직업으로 가지면서는, 나의 독자들 중 내가 "한국의 필립 얀시가 되길" 응원하는 분이 꽤 있었다. 기독교 작가라는 공통점으로 나와 필립 얀시를 엮은 것으로 보인다. 정말 큰 응원이고 기분 좋은 말이다. 하지만 당시의 나에게는, 나의 의가 충만하던 나에게는, 그런 응원조차도 나를 하나의 틀 속에 묶는 것 같았다. 게다가 당시 필립 얀시의 SNS를 한 번 봤는데, 그가 그곳에 쓴 글 중 하나가 동의하기 힘들어 굳이 그의 책을 보지 않았다.

물론, 항상 이와 같은 실수만 하지는 않았다. 열정 넘치고 매번 최선을 다하던 모습은 지금 그리고 앞으로도 잃고 싶지 않다. 하지만 그 열정이 하나님을 향한 마음보다 높아지면 일을 그르치게 된다. 나는 다행이라 해야 하는 건지, 일을 그르치기 직전에 이를 깨달았다. 평소 알던 분이 먼저 일을 그르치는 걸 보고 간접 경험했다. 그분에게서 나의 모습이 보였다.

'내가 지금처럼 쭉 가면 저렇게 되겠다.'

내가 교회를 잘 가지 않고 방황하던 때에, 물론 당시는 방황이 아니라 생각했지만, 늦은 밤 나에게 전화 걸어 교회의 중요성을 말해주던 전도사님이 있다.

"너가 비전 위해 열심히 달려가는 것 알고 선한 목적을 가지고 그러는 것도 아는데, 교회에 속하고 양육받는 건 우리가 평생 해야 할 일이야. 성경 많이 읽고 기도 많이 하는 것도 중요하지만 교회를 다니는 것 역시 큰 의미가 있어."

당시에는 하나도 이해가 안 됐던 말이다.

먼저 엇나간 사례를 보고 또 코로나19로 혼자 있을 시간이 많아 비전을 재점검할 시기가 있었다. 그때 특히 오랫동안 묵상했던 것은 다윗이 사울 왕을 대하던 모습이다. 사울 왕이 다윗을 그렇게나 괴롭혔고 또 다윗이 사울을 죽일 기회를 얻었음에도 다윗은 사울을 죽이지 않는다. 이는 다윗이 사울 왕의 권위를 존중했기 때문이다. 사울은 악한 권위자이기에 그를 죽이는 게 이로울 거라 생각할 수도 있었지만 다윗은 조급해하지 않았다. 이는 다윗이, 사울을 왕으로 세운 하나님의 권위를 존중했기 때문이다.

권위자에 대항하는 사례를 많이 봐왔다. 히틀러를 죽이려 했던 본회퍼 목사, 일제에 맞선 독립운동가, 북한 정권이 무너지길 기도하는 기독교인 등. 이들이 한 일은 모두 하나님의 말씀에 엇나가지 않는다. 이들이 대항한 권위자인 히틀러, 일제, 북한 정권 등은 모두 단순히 악한 걸 넘어 신앙의 자유를 침해하고 체제의 방향을 악하게 틀어 하나님의 권위를 왜곡시켰기 때문이다. 이런 경우에는 대항해서라도 바로잡아야 한다. 그런데 이런 사례만 집착하다 다윗의 모습을 보지 못하는 것 또한 문제가 됨을, 나는 나중에야 깨달았다. 내가 이런 사례에 집착한 건 아니지만 분명히 나의 모습과 다윗의 모습은 많이 다름을 보았다. 윗사람이 뭐라 하면 "꼰대"라 속삭이는 게 습관이 된 내가 부끄러워졌다.

교회는 예수님의 몸이다. 몸 된 교회로 돌아가 양육받기 시작했다. 북한 선교라는 비전 역시, 아무리 해외로 나가는 선교가 아니라 하더라도 단순히 내가 혼자 세상에 나가 선교사가 되는 게 아니라 교회에서 양육받고 교회에서 파송되는 평신도 선교사가 되도록 준비해야 함을 깨달았다. 가정 꾸릴 때 역시도, 부부가 교회 안에서 함께 훈련받으며 같은 방향을 바라보고 나아가야 한다. "부부는 싸우면서 점점 사이 좋아지는 거야"라고 하지만, 그건 부분적인 말에 불과하며 해당하지 않는 경우도 많다. 부부가 함께 교회에 깊이 뿌리내릴 때 진정한 행복을 갖춘 부부로, 즉 하나님이 기뻐하시고 이웃과 국가에 덕이 되는 부부로 성장할 수 있다. 나는 교회 안에서 멘토를 모셨고, 결혼할 때 주례도 그 멘토님께 부탁드렸다. 몇 년 전의 나 같으면 주례 없는 결혼을 했을지도 모른다.

MZ세대의 교회와 가정

시간이 흘러 설교 시간에 필립 얀시의 책 『교회, 나의 고민, 나의 사랑』을 추천받고 열심히 읽어보았다. 필립 얀시에게 배울 점이 많았다. 단순히 그의 SNS 글 중 하나가 동의하기 힘들어 배척했던 것이 부끄러웠다. 그런 비본질에 묶여 정말 본질 되신 예수님을 제대로 보지 못하고 필립 얀시에게서 배울 점 역시 있는 그대로 보지 못했던 것을 회개했다. 필립 얀시라는 틀 속에 묶일 필요는 없지만, 내가 "한국의 필립 얀시가 되길" 응원해주는 독자들에게 감사하는 마음은 점점 커지고 있다.

그리고 필립 얀시의 이야기를 읽으며, 그중에서도 그가 교회에서 상처받고 또 나중에 회복된 이야기를 읽으며 진정한 회복이란 무엇인지 차분히 느낄 수 있었다. 상처만을 안고 있으면 그 기억이 더 왜곡되어 악화되기 마련인데, 필립 얀시는 어릴 적 자신에게 상처 줬던 한 교회가 사실 자신의 삶에 끼친 긍정적인 영향이 있음을 봤다. 이로써 하나님의 선하심을 진심으로 인정하는 모습이 있었다. 회복의 힘이다.

나도 필립 얀시와 비슷한 경험이 있다. 나는 교회 이전에 가정에서 받은 상처로 시작됐다. 그 상처를 안고 있을 때는 어릴 적 가정에서의 기억이 암흑으로만 커졌다. 망상이다. 그것이 결국 권위자와 교회에 대한 거부로 이어졌다. 기본적으로 공동체에 대한 거부가 있기 때문이다. 전형적인 MZ세대, 그중에서도 극에 있었다. 하지만 교회에 뿌리내리면서 청소년 시절의 상처가 조금씩 치유되었고, 사실 어릴 적 가정에서 얻었던 긍정적인 것이 꽤 있음을 알았다. 그로 인해 내가 잘 걸어올 수 있었다는 것에 하나님께 그리고 우리 부모님께 감사했던 기억이 있다.

나는 원래 청소년을 정말 싫어했던 성인이었다. 청소년 공포증. 아마도 청소년들을 보며 나의 청소년기가 생각나서 그랬던 것 같다. 속은 우울한데 겉은 되바라지게 웃으며 아무 말이나 지껄이던 모습. 가정이 온전치 못한 게 가장 큰 이유였을 것이다. 아버지와 함께 지낸 기억이 별로 없고, 어머니와 마주치는 것 역시 싫어 늦은 밤에야 집에 갔던 중학생. 생각하고 싶지 않던 나의 모습이 생각나 늘 피하고 도망가고 싶었다.

청소년 공포증에 시달리던 순간에도 회복은 진행 중이었

다. 회복의 기미가 처음 보인 건 중학교 졸업할 즈음이었다. 좋은 친구를 많이 사귀면서 이전과는 다른 길을 걷기 시작했다. 나를 놓지 않았던 어머니의 기도 덕분이었다.

이후에는 나의 기도도 있었다. 회복이 여전히 조금씩 진행 중이던 때, 막 성인이 되던 때였다. 청소년 시절의 상처가 씻겨나가길 기도했다. 어느 날 새벽예배를 마치고 집에 와서도 계속 기도하는데 하나님이 이런 마음을 주셨다.

'나는 우리 부모님 때문에 힘들었는데, 내 동생은 우리 부모님에다 나까지 세 명 때문에 힘들었겠구나.'

그 즉시 동생에게, 뜬금없어 보일 수 있는 사과 문자를 보냈다.

가장 최근 나에게 회복을 가져다준 사건은 단연 결혼이다. 결혼을 준비하며 부모님의 마음을 더 많이 이해할 수 있었고, 또한 몇 년 동안 연락하지 못했던 아버지께 연락할 수 있었다. 결혼식에 세워질 아버지 자리를 어떻게 해야 하나 고민하느라 머리가 너무 아팠는데, 그래서 할 수 있는 건 더욱 기도밖에 없었다.

"아버지의 마음, 저의 마음, 그리고 어머니의 마음 모두 어루만져 주시고 모두에게 사랑이 전해질 수 있는 결혼식이

되게 해주세요."

결국 아버지와 함께 결혼식을 잘 마칠 수 있었고, 나는 결혼하길 정말 잘했다고 생각했다. 그 첫 번째 이유는 당연히 나의 아내고, 두 번째 이유는 나의 아버지였다.

청소년 시절 어머니와 살았던 기억이 전부라 생각했던 적이 있다. 하지만 그게 아니었다. 크게 엇나갈 수도 있었던 청소년 시절, 나를 위해 기도해주시는 어머니가 나를 잡아주기도 했지만 '잘못하면 아빠한테 혼나겠지' 하는 두려움이 나를 잡아주기도 했음을 알았다. 내가 이렇게나 잘 자랄 수 있었던 것은 어머니의 몫도 있지만, 청소년 시절 많이 보지는 못했더라도 마음 한쪽에 있던 아버지가 나를 잘 키워주셨기 때문이다.

교회, 나의 방황, 나의 비전

교회 청년부 처음 올라갔을 때 목사님께서 연애 특강 해주시던 게 생각난다. 목사님은 "연애와 결혼의 목적은 성숙"이라 하셨다.

'그게 뭔 말이지?'

그 말은 이제야 조금 이해된다. 누군가의 배우자이자 누군가의 부모가 되면서, 누군가의 배우자이자 누군가의 부모였을 부모님의 삶을 더 이해하고 더 존경하게 된다. 또 나의 신랑이자 나의 아버지 되시는 하나님의 마음을 더 알아간다.

내가 누구에게서 태어났고 누구의 손으로 만들어졌는지를 아는, 즉 나의 뿌리를 알고 이해하는 것만큼 나를 성숙하게 만드는 게 어디 있는가. 또 그 뿌리를 외면하지 않고 진심으로 감사해하는 것만큼 나를 행복하고 자유롭게 만드는 게 어디 있는가.

지금도 자신의 뿌리를 탓하며 '나는 잘못 태어났다'고 착각하는 사람들이 있다. "흙수저", "금수저", "헬조선"을 입에 달고 살며 원망에 섞인 삶을 사는 사람들이 있다. 무언가에 억눌리며 자유롭지 못한 삶을 사는 사람들, 그분들께 알려주고 싶다.

"내가 경험해 보니, 당신들은 잘못 태어나지 않았어."

한층 더 성숙하고 자유로운 사람이 되면 좋겠다. 우리 모두 다. 부모님, 선생님, 직장 상사 등 권위자에게서 받은 상처로 인해 권위까지도 부정하지는 않았으면 좋겠다. 가정이 얼마나 큰 축복인지 알고, 학교와 직장에서도 최선을 다했으면 좋겠다. 어떤 공동체가 전체주의적으로 당신을 억압한다면 잠시 피할 수는 있겠지만, 공동체 자체를 영원히 등지지는 않기를 조언하고 싶다. 당장은 미숙하더라도, 당신도 한 공동체의 리더로서 당신의 끼를 마음껏 발산할 자격이 있기 때문이다.

그럴 방법이 궁금하다면 우선 교회에 뿌리내리면 된다. 모든 권위와 질서의 회복은 교회에 답이 있다. 선교단체나 기독교 시민단체 등도 귀하지만 교회가 먼저다. 자신의 비전이 하나님보다 앞선 이들, 상처로 인해 교회를 떠난 이들, 교회를 다니고 있지만 왜 다니는지 모르는 이들 등 모두 자신의 상황을 교회 안에서 해결하길 권하고 싶다. 교회가 자신이 원하는 발언을 해주지 않는다 해도, 교회가 당신의 마음을 아프게 했다고 해도, 그래서 새로운 교회에 가는 일이 생기더라도, 교회 자체를 등지지 말고 교회 안에서 방황하고 교회 안에서 치유받자. 그리고 예수님과 그의 몸 된 교회가 먼저 된 삶을 살자. 당신을 향한 하나님의 놀라운 비전이 교회 안에서 시작되기 때문이다.

__ "둘은 좀 적다"

어머니가 해주신 말씀이다. 나한테 전한 말씀은 아니고, 어머니가 주변 사람들과 대화하다 나온 말을 엿들었다. 나와 동생 이렇게 두 명을 키우고서 하신 말씀이었다.

고등학교 졸업하고 성인이 되던 때였다. 고향인 부산을 떠나 서울에 올라가고 싶었다. 그런데 새로운 곳에서 혼자 살기에 집 월세를 비롯한 생활비를 어떻게 해결할지가 걱정되었다. 자신 없었다. 나와 비슷한 상황에 있던 친구들은 모두 서울로 가는 건 포기하고 부산에서 가장 좋은 대학에 진학해 장학금도 받고 집 월세도 아끼며 편하게 지냈다. 나는 그러고 싶지 않았지만 여전히 용기가 안 났다.

그때 나에게 용기를 줬던 사람은 동생이었다. 정확하게 말하면 동생이 나에게 직접 용기를 준 게 아니라 동생이 있어서 용기가 저절로 났다. 나와 7살 차이 나는 동생은 내가 성인이 되니 슬슬 중학교 입학할 준비를 하고 있었다. 그때까지 우리 집은 방이 두 개 있었는데 그중 하나를 나에게 줬다. 나머지 한 방에 다른 모든 가족이 지냈다. 내가 중·고등학교 다니며 중요한 시기를 보내고 있어 배려를 많이 해준 걸로 보인다. 그럼 이제 동생도 배려받아야 할 때가 아닌가? 그런데 방 세 개 있는 집으로 이사 갈 상황은 아니고, 내가 집 나가는 게 어느 면에서든 가장 좋은 상황이었다. 덕분에 나는 혼자 서울에 올라와 독립과 자취를 시작하며 비전에 한 걸음 다가갈 수 있었다.

아르바이트하며 생활비를 벌었다. 월세 25만 원, 식비 30만 원, 교통비 7만 원, 휴대폰 요금 4만 원 등. 내가 한 선택에 책임을 질 수 있다는 게 감사하고 행복했다. 어떤 이들은 아르바이트하며 사는 자신의 삶을 비관하지만, 나는 알았다. 내 맘대로 돈 펑펑 쓰는 게 자유가 아니고 내가 쓴 돈과 쓸 돈에 대해 내가 책임을 질 수 있어야 자유가 다가온다는 것을. 이러한 지혜는, 부유하지 못한 상황에도 늘 감사하며 나를 책임져 준 어머니께 배웠다. 아침 일찍 나가 밤 10시까지 일하고 와서도 나와 대화를 멈추지 않았던 모습은, 가진 것 하나 없던 나의 20대 초반을 누구보다 풍성하게 만들어주었다. 꽤 부자였던 내 친구가 알려준 것도 있다. 부자면 당연히 부모님이 다 지원해줄 거라 생각했지만, 이 친구는 성인이 되자마자 자신의 생활비를 직접 벌어서 썼다. 그러면서도 자신의 삶에 감사하고 또 부모님을 진심으로 존경했다. 헛된 우월의식에 빠지지 않은 모습이다. 이 친구를 보면서 나는 오히려 행운이라는 생각이 들었다. 나는 내가 책임질 수밖에 없었던 상황인 게 오히려 감사했다. 이 친구 부모님 입장에서 생각해보면, 돈이 없는 것도 아니고 아들 지원하고 싶은 마음도 굴뚝같을 텐데 지원을 끊는 게 쉽지 않았을 거다. 이 친구 입장에서도, 부모님이 돈 많은 것 뻔히 다 아는데 지원받지 않는다는 게 애초에 없어서 못 받는 것보다 더 힘들 거라는 생각이 들었다.

미국의 한 초등학교에서 유대인 아이들을 가르쳤던 수지 오 교장 선생님이 하신 말씀이 있다. 수지 오 선생님은 한국 학부모님들을 보고 크게 놀라셨다. 2015년 〈EBS 초대석〉에 출연하여 전한 말씀이다.

"한국 학부모는 교육 전문가의 말보다 옆집 아줌마의 말을 더 신뢰한다."

교육 전문가의 말보다 옆집 사람의 말을 더 신뢰하는 것은 비교 의식 때문이다. 나 혹은 나의 자녀를 있는 그대로 보지 못하고 꼭 다른 사람과 비교해서 본다. 주변 사람들을 보고 배우겠다는 자세는 좋은 것이지만, 배우는 게 아니라 그저 세속적인 가치만 보고 주변 사람을 따라가는 것은 부모와 자녀 모두의 삶을 망가뜨린다. 옆집 아이가 어느 학원 다니더니 성적이 오르면 자신의 자녀도 그 학원 따라 보내는 것이 오늘날 한국 교육의 생태계다. 아이에게 그 학원이 정말 잘 맞을지, 아이의 영이 살아나기 위해 정말 필요한 건 무엇일지 진지하게 고민하는 부모님의 모습이 간절히 필요한 상황이다.

결혼할 때도 마찬가지다.

"저 친구는 저렇게나 좋은 아파트에 사는데."

"나도 저 정도의 돈은 있어야 하는 것 아닌가?"

아니다. 저렇게나 좋은 아파트에 안 살아도 되고 저 정도의 돈 없어도 된다. 나는 그것을 알았기 때문에 성공적인 결혼을 할 수 있었다. 나보다 부유하게 사는 사람을 보며 배아파할 필요도 없고, 나보다 빈곤하게 사는 사람을 보며 우월의식을 가질 필요도 없다. 이 지혜를 품고 있으니 작은 것에 감사하는 태도를 가질 수 있었다. 어머니가 나와 동생을 그렇게나 힘들게 키우고서 "둘은 좀 적다" 하신 것만 봐도 말 다 했다.

'자녀 키우는 일이 얼마나 기쁜 일이길래 그럴까.'

20대 아빠가 될 수 있었던 비결? 어디 먼 곳에 있는 게 아니다.

__장범준 씨, 고마워요

아내 만난 이야기를 해보려 한다. 작가이자 20대 청년으로서 하고 싶은 일을 거의 다 해봤던 24살 때였다.[2] 글 쓰랴 강의하랴 공부하랴 꽤 바쁘게 살았다. 그제야 나는 군 문제를 해결하려 했다. 그래도 하고 싶은 걸 다 해봤다는 생각에 큰 미련은 없었고, 25살에 대학 졸업과 동시에 군대 가기로 했다. 많은 걸 내려놓은 마음으로 그저 나에게 주어진 남은 일을 열심히 할 뿐이었다. 강의 제안 오면 '나에게 이런 기회를 주시다니' 하며 열심히 준비해서 했고, 한 이슈에 대해 글 쓰고 싶은 게 생기면 또 열심히 썼다. 그러면서 독자들 만날

---

2) 나이는 모두 만 나이로 표기.

기회 있으면 진심으로 감사한 마음에 넙죽 인사드리곤 했고 독자들 중 꽤 친하게 지내는 분들도 점점 늘어났다. 그러다 그중 한 명과 예상치 못한 일이 시작됐다. 무려 연애였다. 서로 비전이 맞기도 했고 내 눈에 제일 이뻐서 호감이 간 거겠지만, 정말 말 그대로 예상치 못했던 연애였다.

'군대 가기 전에 연애라니.'

연애란 무엇인가. 단순히 "호감 가는 사람끼리 만나고 즐기는 것"이라 말한다면 그건 내 생각과 다르다. 결혼과 가정을 생각해야 한다. 어떤 사람과 연애한다고 꼭 그 사람과 결혼까지 해야 하는 건 아니겠지만, '이 사람과 결혼하고 가정을 이룰 때 잘 이루려면 어떻게 해야 할까?' '내가 좋은 남편이 되기 위해, 좋은 아버지가 되기 위해 노력해야 하는 건 뭘까?' 등을 고민하는 건 연애 중에도 꼭 필요하다. 충분히 고민하고서 내 짝이 아니라는 생각이 들면 이별할 수도 있겠지만, 그런 고민조차 안 한다면 계속 연애하더라도 성숙한 연애를 할 수 없다. 그래서 나도 그런 고민을 하는데, 군 문제가 크게 걸렸다.

'연애를 처음부터 하지 말았어야 했나?'

'내가 군대 다녀올 때까지 기다려주기를 바라야 하나?'

그럼에도 이 모든 고민은 선한 것이라 믿기에 그치지 않았고 포기하지 않았다.

버스커버스커 출신 가수 장범준 씨가 2014년경 결혼한 것이 생각났다. 그분은 군대 가기 전, 결혼도 하기 전에 아기가 생겼다. 말을 들어보니, 자녀가 있으면 군대를 상근으로 복무할 수 있다고 한다. 즉, 군대 신체검사에서 4급으로 사회복무요원 판정을 받은 사람이 아니라 장범준 씨나 나처럼 현역 판정을 받은 사람이라도 자녀가 있으면 군대를 출·퇴근하는 형태로 갈 수 있는 것이다.

'그것 괜찮은데?'

나는 장범준 씨처럼 결혼하기 전에 아기를 가진 건 아니지만, 그렇게 된 사람도 저렇게 나름대로 잘 지내는데 나라고 못 할 건 없어 보였다.

그러면서도 이런 생각이 함께 들었다. 내가 나 자신에게 한 말이다.

'네가 장범준이랑 같냐?'

나는 장범준 씨의 〈벚꽃 엔딩〉 같은 연금이 없다. 그래서 또 다른 고민이 밀려왔지만 두렵지 않았다. 희망이 전혀 없어 보였던 나의 20대 초반에도, 우리 가족이 가장 힘들었던 나의 청소년기에도 늘 나를 지켜주셨던 하나님이 내 삶의 주인 되시기 때문이다.

그러므로 염려하여 이르기를 무엇을 먹을까 무엇을 마실까 무엇을 입을까 하지 말라

이는 다 이방인들이 구하는 것이라 너희 하늘 아버지께서 이 모든 것이 너희에게 있어야 할 줄을 아시느니라

그런즉 너희는 먼저 그의 나라와 그의 의를 구하라 그리하면 이 모든 것을 너희에게 더하시리라

마태복음 6장 31~33절

나에게 엄청난 지혜와 독립심을 심어준 주변 사람들, 아르바이트하며 사회생활과 재정 관리를 배울 수 있도록 도와주신 사장님, 비전을 위해 함께 움직이고 있는 수많은 친구들 등 모두를 만난 것이 하나님의 은혜였으며 결코 나의 힘이 아니었다. 내가 지금까지 이렇게 올 수 있었는데 결혼이라고 못할까? 평범한 상황은 아니었지만 자신 있었다. 또한, 이런 상황에도 나를 사랑해주고 결혼까지 하겠다고 해준 사람이 있었기에 더 자신 있었다.

그 사람은 현재 나의 아내가 되었다. 25살에 입대할 계획을 모두 변경하고 작년(2022), 26살에 결혼했다. 그리고 올해 아기가 생겼다. 군대는 내년쯤 갈 것 같다. 걱정되지 않냐고? 인간적으로 걱정이 안 될 수 없었다. 하지만 나는 인간적인 걸 넘어서는 힘을 은혜로 얻어왔다. 나의 수련이나 긍정의 힘으로 된 것이 아니다. 어제도 계셨고 오늘도 계시며 내일도 계실 분, 왕의 왕이자 나의 아버지 되시는 하나님께서 주신 것이다.

__0 x 3 = 0

개그우먼 정지민 씨와 가수 공휘 씨의 결혼 스토리를 들었다. 정지민 씨는 자신보다 수입이 3배 이상 되는 사람과 결혼하는 게 기도 제목이었고, 결국 이뤄졌다고 한다. 자신의 수입이 0원이니 0x3=0, 즉 똑같이 0원 버는 분을 만난 것이다.

그러면서 진심으로 행복해하는 두 분의 모습을 봤다. 두 분은 당장 수입이 0원이었더라도 서로를 향한 사랑과 책임감, 그리고 하나님을 향한 진실한 사랑은 그 누구보다 풍족했다. 그것이 두 사람을 부족한 것 없는 가정으로 이끌어줬다.

나는 수입이 0원은 아니었지만, 나중에 아내가 된 여자친구는 연애 시절 당시 나보다 수입이 3배 가까이 됐다. 나는 하나님 은혜로 돈에 대한 두려움이 남들보다 적은지라 이에 대해 크게 신경 쓰지 않았다. 그럼 어떻게 했나. 여자친구도 나와 비슷한 경제관을 가지길 기도했다. 이것이 되어야 경제적으로든 교육적으로든 부족한 것 없는 가정을 꾸릴 수 있을 거라 확신했기에 기도 제목은 끝내 바뀌지 않았다. 여기서 '부족한 것이 없다'라는 건 단순히 돈이 많은 걸 의미하는 게 아니라는 걸 알 것이다. 돈보다 더 귀중한 것을 따를 때 돈은 그저 따라오는 것임을 알면 모든 문제가 사라진다.

돈을 사랑하지 말고 있는 바를 족한 줄로 알라 그가 친히 말씀하시기를 내가 결코 너희를 버리지 아니하고 너희를 떠나지 아니하리라 하셨느니라

히브리서 13장 5절

이는 성장하지 말라는 말이 아니다. 우리가 사랑해야 할 대상은 돈이 아닌 다른 곳에 있다는 것이다. 하나님 사랑, 이웃 사랑. 그 올바른 사랑만이 나의 삶을 책임질 수 있다.

오히려 복병은 여자친구에게 있었다. 돈을 잘 벌지만, 그런 사람에게서 나타나기 쉬운 안 좋은 면이 보였다. 겸손과 섬김에 반하는 자세를 가지고 있었다.

'결혼해도 되나?'

확신이 들지 않아 나의 솔직한 심정을 고백했다.

"진짜 행복할 수 있는 삶을 살면 좋겠어."

그리고 며칠 만에 나의 마음에는 결혼 결심이 들었다. 여자친구 손에 든 사직서를 봤기 때문이다.

그 사직서에는 두 가지 의미가 있는 것 같다. 변화에 대한 의지, 그리고 내가 자신이 버는 것 이상으로 벌어다 줄 거라는 믿음. 그거면 충분했다.

Part 2. People & Culture

__끊음의 십자가

"다시 태어나도 배우자분과 결혼할 건가요?"

우리나라에서 기혼자들에게 많이 묻는 이 질문. 이에 크리스천 배우 강석우는 이렇게 답했다.

"그건 안 하지. 다음 생이 있다고 믿지 않아서 그런 생각을 해본 적이 없어. 다음 생 말고 이번 생에 다 줄 거야."

한반도에서 불교문화는 삼국시대에 유입되어 대한민국까지 들어왔다. 이토록 강한 토착화 때문에 한국 사람들 마음속에는 특유의 윤회 사상과 업 사상이 있다. 지금의 삶만을 생각하지 않고 전생 혹은 후생을 연결 지어 생각한다. 그러다 보니, 이을 것과 끊을 것을 구분하지 못한다. 자신이 보기에 불쌍한 사람이 있으면 "쯧쯧쯧" 하며 혀를 찬다. 그 사람이 전생에 죄를 지어 그런 불운이 일어났다고 생각하는 데서 나온 관습이다. 누군가 이 땅에서의 생을 마감하면 "고인의 명복을 빕니다"라고 말한다. 명복을 빎으로써 그 사람의 후생에 좋은 것이 이어진다고 생각하는 것이다.

크리스천들도 마찬가지로 이 문화 속에서 살고 있다. 크리스천은 전생을 믿지 않으며 죽음 이후와 구원은 오직 하나님의 관한 아래 있음을 믿음에도, 무의식 속에서 이 문화의 영향을 받는다. 그래서 크리스천이라 하더라도 무엇이 자신에게 악한 것을 끊고 선한 것을 이어주는지 있는 그대로 보지 못하면 마찬가지로 흘러간다.

십자가는 우리를 악한 밧줄에서 끊어준다. 십자가에는 범죄자 중에서도 가장 추악한 사람들이 매달렸다. 그중에서도 가장 비참한 모습으로, 죄 없는 예수가 매달렸다. 십자가에서 흘린 예수의 피가 우리를 하나님과 이어준다. 이로 인해 우리는 새사람이 된다. 단순히 있던 죄가 없어지는 수준이 아니다. 사울이 바울 되었듯이, 조선이 대한민국 되었듯이 새롭게 거듭나는 것이다. 이로써 우리는 전생이나 후생을 지금의 삶과 이어 생각할 필요가 없어진다. 이번 생에 십자가의 끊음을 경험하면 된다.

눈이 가려져 끊지 못하는 이들을 위하여

날 때부터 맹인인 자가 있었다. 예수의 제자들은 이 사람이 왜 이렇게 태어난 걸까 궁금했다.

'이 사람이 죄를 지어서 그런가? 아니면 부모의 죄 때문인가?'

이에 예수는 "이 사람이나 그 부모의 죄 때문이 아니다"라며 "그에게서 하나님의 일을 드러내기 위한 것"이라고 했다. 그리고 예수는 맹인에게 빛이 되어 그의 눈을 열어주었다.

요한복음 9장 1~7절의 내용이다. 맹인을 '잘못 태어난 사람'이라 여기던 문화가 무너졌다. 인간의 존엄성에 대한 인간의 기준이 하나님의 기준으로 바뀌었다. 현 대한민국에도 존재하는 전생 문화, 업보 문화가 사라졌다. 그리고 맹인은 단순한 치료의 기적을 넘어 참 자유를 얻었다. 어떠한 율법으로 인한 것이 아닌, 오로지 예수님으로 인한 것이었다.

대한민국을 살아가다 보면, 여러 사람들이 같은 말과 행동을 하더라도 그 동기가 여럿으로 나뉘는 것을 볼 수 있다. 그 말과 행동이 바른 가치 속에 있는 것일 때조차도 그렇다. 이들의 눈앞에 있는 것이 예수님인 경우도 있고, 혹은 자신의 과거 경험으로 인한 까만 안경인 경우도 있기 때문이다.

우리가 어떤 말과 행동을 할 때 그 동기가 무엇인지는 매우 중요한 요소가 된다. 성경에서는 '먹든지 마시든지 무엇을 하든지 다 하나님의 영광을 위하여 하라'고 한다(고린도전서 10:31). 하지만 자신의 상처와 아픔이 동기가 되어버리면 그 동기가 자신을 붙잡는 악한 밧줄이 된다. 그래서 눈앞에 있는 것을 왜곡하여 보기도 하고 두려움에 빠지기도 한다. 결국 그 사람은 자기 의로 행동하면서 패배주의, 우월주의, 혹은 완벽주의에 빠진다.

대한민국에서 가장 많이 볼 수 있는 경우는 '결혼'과 '돈'에 관한 문제이다. 결혼 생활의 표본으로 보아 온 모습이 결코 행복하지 못해 그것이 상처로 남은 이들을 많이 볼 수 있다. 그런 경우 결혼과 가정에 대해 거부감을 가지는 것은 당연하다. 이로써 대한민국의 가정이 무너지는 것 역시 당연하다. 돈에 관한 경우도 마찬가지다. 가정이 불우했던 것이 상처로 남아 돈을 자신에게 있어 최고의 가치로 삼는 이들을 많이 볼 수 있다. 꽤 부유한 가정에서 자랐다는 것이 우월감으로 남은 이들도 마찬가지다. 어느 쪽에 속했든 이들은 하나님이 주신 사명을 생각하지 못하고 돈이 자신의 정체성이 되어버린다. 돈이 너무 없어서 결혼을 안 한다고 하는 사람들 혹은 돈이 너무 많아서 결혼을 안 하는 사람들 중에도 이에 속하는 경우가 셀 수 없이 많다.

상처와 열등감·우월감으로 눈이 가려진 자들에게 십자가의 끊음이 필요하다. 과거에서 헤어 나오지 못하는 자들에게 오늘을 선물해야 한다. "대물림은 끊을 수 없다"? 그렇지 않다. 예수님의 사랑과 회복은 그 어떤 대물림도 끊어낼 수 있다. 누군가 어릴 적 불행한 결혼 생활을 보며 자랐다 하더라도, 하나님은 새로운 희망을 얼마든지 많이 주실 수 있는 분이다. 이로써 다시 한번 자신을 가꾸가고 하나님 안에서 얼마든지 행복한 가정을 꾸릴 수 있다. 하나님이 이미 주셨지만 펼쳐 보지 않은 선물을 마음껏 누려야 한다. 또한, 자신의 삶에 돈이 걸림돌처럼 자리했거나 돈이 자신에게 우월감을 자아냈다 하더라도, 어차피 돈의 주인은 하나님이다. 돈에 대한 모든 생각을 하나님께 맡기는 게 가장 현명하다. 이로써, 잘먹고 잘살기 위해 사는 게 아니라 하나님이 주신 비전적인 삶을 살아갈 수 있다.

예수님이 맹인에게 알려줬듯, 당신들은 잘못 태어나지 않

았다. 긍정의 힘이나 희망의 메시지 같은 인본주의도, 상상을
초월하는 기적도 본질을 꿰뚫을 수는 없다. 상처와 아픔으로
눈이 가려진 자들에게 십자가의 끊음이 필요하다.

__오은영 박사님, 실망입니다

지난해 5월 5일이었다. MBC 〈100분 토론〉은 어린이날 특집으로 저출산 문제를 다뤘다. 주제만 보고는 우려가 있었다. 또 저출산 문제의 원인으로 국가나 사회 탓만 하는 건 아닌지. 하지만 오은영 박사가 출연한다는 걸 보고 기대가 생겼다.

역시 오은영 박사는 "많은 청년들이 개인적인 상처 혹은 불안감으로 결혼을 기피하고 있는" 본질적인 문제를 잘 꿰뚫어 주었다. 우려대로 저출산 문제에 대해 국가나 사회 탓을 주로 하는 다른 패널(김윤태 교수, 정재훈 교수)에 비해, 오 박사는 아직 미혼인 청년 한 명 한 명에 관심 가져주었다. 매우 인상적인 부분이었다.

그러나 토론이 끝날 즈음에 그녀가 전한 말은 많이 실망스러웠다. 오은영 박사는 "결혼하지 않고 동거만 해서 출산하는 사람들에게도 지원해줘야 한다"라고 하며, 이것이 저출산 문제에도 도움 될 거라는 취지로 말했다. 사실 오 박사는 이전에도 SBS 예능 〈써클 하우스〉에서 혼전 동거에 대해 지지하는 말을 한 적이 있다. 당시 오 박사는 혼전 동거가 결혼 생활을 위해 필요하다고 말했다. 이 방송에 더하여 〈100분 토론〉 어린이날 특집까지, 실망에 실망이 더 쌓였다.

필자가 이런 글을 쓰는 것에 우려는 분명히 있다. 오은영 박사는 '육아의 신'이라는 별명이 있다. '신'이라는 별명을 가진 이에게 비판하다가는 옳은 말이라 하더라도 욕만 바가지로 먹기 쉽다. 하지만 오 박사의 그 말은 옳지 않기에, 그리고 오 박사의 말을 곧이곧대로 듣는 이들에게 조금이나마 깨우쳐 주고자 이 글을 쓴다. 또한, 그녀가 기독교인이라는 이유로 그녀의 그 말이 성경적으로 문제가 없다고 오해하는 이들이 있을까 하는 것 역시 이 글을 쓰는 이유다.

연애는 해도 결혼은 안 하겠다는 '비혼족'이 늘어나고 결혼은 해도 아기는 안 낳겠다는 '딩크족' 역시 늘어나는 마당에, 오은영 박사가 말했듯 동거만 하는 사람들에게 국가가 지원하면 출산율이 오를까? 설령 그렇게 해서 오른다고 한들, 그렇게 태어난 아기가 정말 바른 책임 관계 하에서 자랄 수 있을까?

혼전 동거의 문제는 가수 박진영이나 허지웅 작가만 봐도 알 수 있는 것 아닌가? 두 사람은 "결혼 전에 동거부터 해야 한다"고 강하게 주장하던 이들이었으나, 결국 그렇게 실제로 하고 이혼이라는 결말을 맞았다. 실제로 혼전 동거를 하고서 이혼한 사람이 많다는 것은 통계로도 많이 볼 수 있다.[3]

혼전 동거가 결혼 생활에 도움 주지 못하는 이유는, 단순히 두 사람이 동거하면서 서로 잘 맞는지 계산해보는 것이 정말 두 사람을 행복하게 만들어주는 게 아니기 때문이다. 내가 좋은 사람이 되기 위해 노력하는 게 먼저가 되어야지, 상대방이 정말 좋은 사람인지 계산하는 게 먼저가 되면 안 된다. 흔히 말하는 "속궁합"도 마찬가지다. 나에게 잘못된 성가치관이 있는지 점검해야지, 상대방이 나와 잘 맞는지만 점검하기 위해 "속궁합을 맞춘다"고 하는 것 역시 옳지 못하

---

3) "혼전 동거하면 이혼율 높다", 〈문화일보〉, 2009.07.16.

다. 또한 누군가와 평생을 같이 살아도 사람은 죽을 때까지 모르는 거기 때문에, 동거해서 상대방에 대해 계산한다고 다 알 수 있는 것도 아니다.

그래서 '혼인신고'라는 법적 책임 관계 하에서 부부가 되고 부모가 되는 것은 별거 아닌 것처럼 보이더라도 매우 중요한 일이다. 단순히 서로 계산만 하는 사이가 되어서도 안 되고 쾌락만 즐기는 사이가 되어서도 안 된다. 서로에 대해 책임감을 가지는 사이가 되어야 한다. 그것은 '혼인신고'라는 법적 책임 관계가 없이는 불가능하다. 그런 점에서 〈100분 토론〉 어린이날 특집과 오은영 박사의 발언은 여러 모로 실망스러웠다. 그간 대한민국에서 저출산 문제 해결하기 위해 쓴 복지 예산이 왜 대부분 실패로 돌아갔는지 확실히 보여준다.

출산율이 본질이 아니다. 저출산이라는 결과에 집중하며 출산율 상승에 목맬 필요 없다. 가정의 회복이 본질이다. 혼전 동거하는 사람을 국가가 지원해서 출산율이 올라간다 한들 그건 가정을 무너뜨리는 것이다. 그럼 장기적으로 봤을 때 출산율은 더 떨어진다. 방송인 사유리가 해서 많이 알려진 '비혼 출산'도 마찬가지다. 남성의 유전자만 받아 비혼 출산하는 가정을 국가가 지원하면 결과적으로 출산율은 떨어질 수밖에 없다. 비혼 출산으로 인해 아기에게 아버지의 존재를 애초에 가르칠 수 없으면 가정이 무너질 수밖에 없기 때문이다. 가정을 회복시켜야 한다. 그럼 출산율 올라간다.

__순결과 책임

　'순결'을 주제로 한 글을 쓰려 하니 고민이 많았다. 순결이라는 이름 앞에 당당할 수 있는 사람은 아무도 없고 그것은 필자도 마찬가지이기 때문이다. 순결에 대해 아무리 정확하고 논리정연하게 글을 쓴다 한들 당당할 수 있는 게 결코 아니다. 예수님은 마음에서 나온 것만으로도 간음이라 하셨고 (마태복음 15:19), 우리는 평생을 이 죄와 씨름해야 할 인간들이기 때문이다.

　하나님은 우리의 마음이 어디에 향해있는지를 보신다. 과거에 순결과 거리가 먼 삶을 살았다고 해서 순결하지 않다고 할 수도 없으며, 실제 행동으로 실수 없이 살아왔다 해서 순결하다 할 수 있는 것도 아니다. 하나님 앞에서 자신의 죄인 된 마음을 겸손히 인정하고 순결을 향해 걸어가는 그 자세가 중요하다. 단순히 행동의 결과만을 강조하는 조선시대의 정조 관념은 순결의 의미를 담고 있지 못하다. 병자호란 당시 청 나라로 끌려갔다 추행당하고 돌아온 여성들에게 정절을 잃었 다 하던 조선의 잣대4)는 하나님의 잣대와 다른 것이다.

왜 굳이 '혼전' 순결이라 할까?

하나님은 우리가 몸과 마음을 거룩하게 지키길 원하신다. 순결을 지켜야 하는 것도 이 때문이다. 그런데 이 순결 앞에 굳이 '혼전(婚前)'을 붙여서 말하는 이유가 뭘까? 순결을 왜 꼭 결혼과 관련지어 생각하도록 하는 걸까?

가장 큰 이유는, 하나님이 오직 결혼한 배우자와의 성관계 만을 허락했기 때문이다. 이에 우리는 시기별로 해야 할 일 이 따로 있다는 것을 알아야 한다. 결혼 후에 해야 할 일을 결혼 전에 먼저 해버리면 나중에 받을 축복은 줄어들 수밖에 없다. 우리는 이를 알고서, 삶에서 지금 앞에 놓인 것뿐만 아

---

4) 조선왕조실록 인조 16년(1638년) 3월 11일.

니라 더 먼 곳까지 바라볼 줄 아는 지혜를 발휘해야 한다. 연애는 보통 몇 년 안에 끝나지만 결혼은 자신의 남은 삶 전부를 함께하는 것이기 때문이다.

또한, 흔히들 하는 우스갯소리 중 '요즘은 결혼 후에 더 순결해진다'는 말에 대해서도 조금은 진지하게 생각해볼 필요가 있다. 결혼 전 연애할 때는 성관계가 잦았다가 오히려 결혼 후에 성관계를 하지 않는 이들을 두고 하는 말이다. 우스갯소리라고 하지만 이것이 이혼 사유로도 많이 등장하는 것이 실제 현실이다. 이 경우 무엇이 문제였을까? 여러 가지가 있겠지만, 애초에 '결혼 전 연애할 때 성관계가 잦았던' 것이 우선 큰 문제가 된다. 연애할 때 해야 할 일과 결혼 후에 해야 할 일을 구분하지 못했기 때문이다.

성관계의 가치를 폄훼 혹은 과장하는 것도 문제가 된다. 이는 혼전순결을 지키겠다고 하는 이들도 해당한다. 성관계를 무조건 악하다고 말하며 폄훼하는 것은 하나님이 만드신 인간의 몸과 성을 지나치게 무시하는 것이다. 반대로, 성관계를 연애와 결혼의 핵심 가치에 두는 것 역시도 하나님이 가르쳐 주신 사랑에 어긋난다. 성관계는 분명히 중요한 것이고 우리에게 주어진 선물이다. 우리는 이 선물을 부부 사이에서 아름답게 사용해야 한다. 하지만 성이 배우자보다도 높은 자리에 있다면 그것은 결코 사랑이라 할 수 없다. 성에 대해 알아가는 것도 중요할 테지만, 배우자에 대해 알아가면서 또 하나님과 자신에 대해 알아가는 것이 연애와 결혼 그리고 평생에 걸쳐 가장 중요한 것이기 때문이다.

선한 부담, 책임감

사랑하는 사람을 만나는 것은 단순히 연애에서 끝나지 않는다. 결혼과 가정이라는 연장선과 방향성이 있다. 그 과정 중에는 생명의 탄생과 연결되는 일도 존재한다. 그래서 우리는 만남을 가질 때 단순히 즐거움만을 추구해서는 안 된다. 누군가와 연애를 했다고 해서 무조건 그 사람과 결혼을 해야 하는 것은 아니겠지만, 자신이 배우자가 되고 부모가 되기 전 준비해야 할 것은 무엇일지 생각하며 다져가는 자세를 연애하기 전부터 갖춰야 한다. 연인으로서, 배우자로서, 그리고 부모로서 지녀야 할 책임감을 지녀야 하는 것이다.

혼전순결을 지킬 필요가 없다고 하는 근거로 '피임을 하면 되지 않느냐'고 말하는 사람들을 많이 본다. 이 말이 합리적이라고 생각될지 모르겠지만, 그 내면을 들여다보면 이 경우 역시 책임감이 결여된 상태임을 알려준다. 피임이란 말 그대로 임신을 피하는 것인데, 이것이 혼전 성관계의 정당성을 가져온다고 생각하는 것은 성관계를 통해 즐거움은 얻고 싶지만 생명을 통해 생기는 책임은 피하고 싶다는 마음이 그 기반에 있는 것이다. 물론, 결혼 후에 하는 피임은 결혼이라는 책임 제도에 들어간 상태이기 때문에 다른 문제일 것이다.

사람을 사랑할 때 요구되는 책임이 부담스러운가? 그 부담은 선한 것이다. 이것은 우리가 성숙해지기 위해 꼭 필요한 과정이다. 또한, 이러한 책임과 부담은 우리를 반드시 행복으로 이끌어준다. 혹여나 이 부담을 악한 것으로 오해하며 노력을 게을리하고 있다면 그 마음을 내려놓기를 기원한다. 이 선한 부담을 통해 노력하는 일은 결코 헛된 것이 아니다. 그 시간은 한 사람의 삶에 있어서 너무나도 소중한 선물이다. 그리고 우리는 이 선물을 가진 채로, 하나님의 축복을 감당하기에 합당한 사람이 될 수 있다.

__션·정혜영 부부에게 배우는 자녀 교육

'기부 천사', '육아의 달인' 등의 별명이 있는 가수 션은 자녀가 성인이 되면 지원을 끊는다고 한다. 대학 역시도 가고 싶으면 스스로 벌어서 가는 것이 맞다고 한다. 아내 정혜영은 역시 어머니 마음으로 "등록금은 줘야지"라 하는데, 그녀와 비슷한 생각을 하는 사람이 많을 것 같다.[5] 하지만 션의 말을 더 들어보면 정말 대단하고 또 반드시 본받아야 할 교육법이라는 걸 알 수 있다. '기부 천사'라는 별명은 그저 기부 많이 하는 겉모습만 보고 생긴 것이다. 그 기반에 있는 생각을 들어보면 훨씬 더 깊고 따뜻하다.

---

5) "'힐링캠프' 션 "자녀 대학, 직접 돈 벌어 가라고 할 것"", 〈SBS 연예뉴스〉, 2014.12.22.

우선, 선의 경제 지원 중단은 "성인이 되면 자립하는 법도 알아야 훨씬 더 행복할 것"이라는 이유에서 나온 것이다. 자녀가 독립하지 않으면 자녀와 부모 모두 힘들기 때문이고, 그것이 매몰차게 보일 수 있지만 사랑하기 때문에 이뤄지는 것이다. 맞는 말이다. 실제로 나이가 많이 들어서도 독립하지 못하는, 소위 '캥거루족'이 많은 게 우리 사회의 큰 문제다. 이는 여러 원인이 있지만, 책임감을 가지고 스스로 선택해서 자신의 일을 하는 것에 대한 교육을 받지 못한 것이 큰 원인이 된다. 아기일 때는 부모님이 자녀에게 밥을 떠먹여 주지만 커서는 스스로 밥을 떠먹어야 하는데 그것을 배우지 못한 것과 같다.

대학 등록금은 자녀가 스스로 벌어야 하는 것 역시 맞는 말이라는 게 선의 생각이자 필자의 생각이기도 하다. 가장 큰 이유로, 대학교 진학은 필수가 아닌 선택이기 때문이다. 자신이 선택해서 대학에 가는 거라면 자신이 책임을 지는 게 맞다. 반대로 대학에 가지 않는 것 또한 자신의 선택에 따라서 얼마든지 할 수 있고 그에 대한 책임을 자신이 지면 된다.

대학을 나오고도 취업을 못한다는 말이 많다. 이를 두고 경제 정책 탓만 하는 이들이 많지만, 애초에 아무런 생각 없이 남들이 다 대학에 가니 자신도 따라가는 것이 근본적인 이유다. 대학 진학한 사람들 중에 대학이 그 사람에게 정말 필요한 경우도 많이 있지만, 오히려 대학교 4년이라는 시간과 학비를 아깝게 날리는 경우 역시 정말 많다. 그러니 대학에 가서도 자신이 뭘 좋아하고 잘하는지 찾으려 하지 않고, 아무 생각 없이 남들이 가는 회사 적당히 가거나 공무원 시험을 준비하곤 한다. 차라리 대학에 가지 않고 다른 데에 시간을 썼다면 돈도 아끼고 시간도 아낄 수 있었을 것이다.

대학 등록금에 대해 덧붙여 말하자면, 즉 선의 말을 변호하면서 필자의 생각을 덧붙이자면, 말했듯 자신이 선택해서 대학에 간 거기 때문에 자신이 책임을 지는 게 맞고 등록금도 스스로 감당하는 것이 맞다. 하지만 20대라는 시간이 정말 귀하기 때문에, 아르바이트해서 학비를 감당하기에는 시간이 아깝다. 그래서 차라리 대학 재학 중에는 학자금 대출을 하고 등록금은 졸업 후에 갚는 것을 추천한다. 열심히 돈 벌어서 나중에 다 갚을 수 있으니 절대 조급할 필요 없고, 또한 그 모든 시간을 통해 이제 독립된 한 사람으로서 살아갈 수 있으며 억만금을 줘도 배울 수 없는 귀중한 것을 배울 수 있다.

그러니 당신이 성인이라면, 부모님 돈 받고 떵떵거리는 친구들을 부러워할 필요도 없고 반대로 20대 시절을 힘들게 지내고 있는 친구들을 보며 우월감을 느낄 필요도 없다. 그 시간 동안 좋은 일이 있을 수도 힘든 일이 있을 수도 있겠지만, 좌절하지 말고 당신이 무엇을 좋아하고 잘하는지 찾으며 열심히 살아가길 바란다.

사실, 이러한 삶은 아기일 때 결정되는 게 많다. 션·정혜영 부부는 아기가 3개월 됐을 때 모유 수유를 끊었다고 한다. 최단기간으로 한 것이다. 모유 수유를 빨리 끊지 못하면 아기는 계속 모유에 의존해서 독립심도 저하되고, 어머니와 자녀 모두 숙면하지 못하게 하며 어머니의 산후 우울증까지 초래할 수 있다.[6]

정혜영이 이렇게 일찍 모유 수유를 끊을 수 있었던 것은 남편 션의 역할이 컸다. 모유 수유를 끊으면 당연히 아기가 울고 새벽에 깨는데, 그럼 션은 무작정 아기를 안고 다시 잠들 때까지 달랬다. 그렇게 1주일을 해서 모유 수유를 끊었다. 덕분에 아내 정혜영이 편안히 잘 수 있었다. 남편이 딱 1주일만 고생하며 모두가 신체적으로나 정신적으로나 오랫동안

---

6) "션-정혜영 육아비법 "아이들의 의견을 먼저 물어 본다"", 〈티브이데일리〉, 2012.12.26.

건강할 수 있는 거니까 그렇게 하는 게 좋겠다.

이처럼 선이 아기의 젖을 떼는 모습은 자녀가 성인이 됐을 때 자립심을 키워주는 것과 연결된다. 아기 때 어머니로부터 젖을 뗀 후 그치는 것이 아니라, 성인이 될 때까지도 부모님으로부터 서서히 젖 떼는 과정을 겪어야 한다. 그 모든 과정이 사랑하기 때문에 이뤄지는 것이고, 선이 자녀들에게 그저 명령하는 게 아니라 끊임없이 대화하는 모습을 보면 이를 더욱 알 수 있다.

"돌잡이로 뭐 잡았어요?"

아기가 태어난 지 1년이 되면 돌잔치가 열린다. 이날 아기 앞에는 돈, 실, 연필 등이 놓인다. 육조시대(229-589)의 중국에서 시작하여 조선에까지 퍼진 '돌잡이' 문화를 시행하기 위함이다. 이 문화는 한반도에서 샤머니즘 전통이 사라지지 않음으로써 오늘날의 대한민국에까지 퍼져있다.

돌잔치 날, 아기는 바닥에 놓여있는 물건 중 아무거나 잡는다. 정확히는, 부모님이 아기에게 돌잡이로써 물건을 잡게 한다. 하지만 부모님은 아기가 아무거나 잡기를 바라진 않는다. 아기가 돈을 잡으면, 가만히 있는 아기 옆에서 부모님은 뛸 듯이 기뻐한다. 아기가 실을 잡으면 부모님은 은근히 실망하는 모습을 보인다. 돌잡이라는 것에 아기를 향한 부모님의 바람이 투영되었다. 최근의 돌잡이 현장에는 마이크나 축구공같이 특정 직업을 나타내는 물건까지 올라가 있다. 마이크를 잡으면 가수가 된다는, 축구공을 잡으면 축구선수가 된다는 뜻이다. 부모님이 원하는 아기의 향후 직업까지도 돌잡이에 투영된 모습이다. 이미 어머니로부터 젖을 뗀 상태여야 하는 돌잔치 때의 아기는, 돌잡이 문화를 통해 다시 어머니의 젖을 무는 것과 같이 된다. 돌잡이 속에 담긴 부모님의 계획과 부모님의 꿈에 아기가 머물러 있다.

우리가 잡아야 할, 자녀에게 쥐여줘야 할 돌잡이는 뭘까? 션·정혜영 부부는 자녀들의 돌 때 모두 돌잔치를 하지 않고 그 비용만큼을 기부했다. 기부자명은 돌을 맞은 아기 이름이었다. 그래서 누군가 이 부부의 자녀를 가리키며 "돌잡이로 뭐 잡았어요?"라 물으면 부부는 "이웃의 손을 잡았어요"라 답한다.

션·정혜영 부부는 자녀들의 돌 이후에도 생일 때마다 자녀 이름으로 기부한다. 자녀들이 돌잡이로 잡았던 '이웃의 손'을 평생토록 놓지 않기를 바라는 마음에서 하는 행사다. 자녀들이 돈을 잘 버는 것보다, 인정받는 직업을 갖는 것보다 더 중요한 게 있음을 이 부부는 기부를 통해 고백한다.

돌잡이는 한 사람에게 처음으로 결정되는 삶의 방향이다. 그래서 돌잡이 물건에는 인간에게 참된 기쁨을 주는 것이 있어야 한다. 거짓되고 일시적인 물건이 돌잡이로 잡힌다면, 그것이 현실에서 실현된다고 하더라도 결코 인간의 삶을 행복하게 해주지 못한다. 갓 만 1살 된 아기처럼 새로운 돌잡이를 손에 쥐길 소망한다.

자녀들 영어유치원 보낼 필요 없는 이유

오늘날은 초등학교 1학년이면 한글은 당연히 다 알아야만 할 것 같은 분위기다. 영어유치원을 다니는 아이들도 있다. 자녀에게 영어유치원 보내는 집이 매우 럭셔리한 것처럼 말하기도 한다. 반면, 선·정혜영 부부의 자녀들은 한글을 떼지 못한 채 초등학교에 입학했다.

엄마 정혜영은 첫째 딸 하음이의 친구가 한글은 물론, 영어에 중국어까지 눈 뜬 걸 보고 걱정이 들었다. 심지어 하음이의 유치원 선생님까지도 "하음이가 위축이 돼서 안 배우려고 할 수 있어요"라 말하니 더 걱정되었다. 이에 아빠 선이 중심을 잡아준다.

"다른 아이들이 '사랑'이라는 글자를 다 읽을 수는 있어도 그 정확한 뜻을 모르는 아이들은 많을 거야. 그런데 우리 하음이는 '사랑'을 읽을 줄은 몰라도 그 '사랑'이 뭔지 정확히 알고 있기 때문에 조금 늦어도 괜찮아."

'사랑'이라는 단어를 읽을 줄 아는 것보다, 'Love'라는 단어를 읽을 줄 아는 것보다 사랑이 무엇인지 먼저 알고 그 사랑을 전하는 걸 먼저 배워야 한다. 그것이 될 때 '사랑'과 'Love'라는 단어를 더 잘 사용할 수 있다. 그리고 선·정혜영 부부는 '때가 되면 다 하게 되어있고' '아이들이 원할 때 가르쳐주자'는 교육철학이 있다고 한다. 배우 최수종·하희라 부부에게도 비슷한 이야기가 있다. 이 부부의 자녀들도 한글을 떼지 못하고 초등학교에 입학했다고 한다. 그럴 수 있었던 건 하희라의 교육방침 덕분이었다. 학교에서 배울 것을 미리 공부하는 것보다 하고 싶은 일을 해보는 게 중요하고, 또 무엇보다 인성교육이 가장 중요하기 때문이다.

이제 대한민국은 한글을 모르는 사람을 찾기 힘든 때가 왔다. 말 잘하고 꾸며내기를 잘하는 사람은 정말 많다. 그럴 때일수록 우리는 다음 세대에게 겉이 아녀 속이 예쁜 것을 전해주기 위해 힘써야 한다. 남들보다 한글과 영어를 더 잘 쓰도록 가르치기 이전에 한글과 영어를 바르게 사용하도록 이

끌어주어야 한다. 말하고 글 쓰는 일은 더디더라도 사랑을 전하는 삶을 살아내는 게 먼저임을 부모와 자녀 모두가 알아야 한다.

Part 3. Works & Culture

__"금수저는 바로 접니다"

"성경 읽어본 적 있나? 하나님의 자리에 돈을 넣어 읽어도 하나도 이상하지 않은 세상이야. … 돈이란 믿음, 난 그 길을 선택한 거야."

이미 부자였던 권요한(최원영)이 금수저를 사용해 대한민국 최고의 부자 황현도의 삶을 빼앗고서 한 말이다.

금수저로 동갑내기의 집에서 식사만 하면 부모를 바꿀 수 있다는 설정의 드라마 〈금수저〉는 일확천금의 비극을 보여준 것은 물론, 소위 수저계급론의 비극 역시 보여줬다. 성경 인물 요한 같이 살길 거부한 권요한은 황현도가 되어 최고의 부를 얻었지만 그의 삶은 괴물과 같이 변했다. 자신의 부를

축적하는 데 있어 방해가 되면 원래의 자신이었던 권요한마저도 살해하고 모든 것을 감췄다. 그 끝은 비극이었다.

권요한이 애초에 괴물과 같은 심성이 있어 그랬다고 볼 수도 있겠으나, 부모를 바꾸는 패륜적인 마법이 굳이 존재한 것이 문제였다. 권요한은 권요한의 삶을 그대로 살았으면 가식적이든 억지로든 훨씬 인간적이고 선한 삶을 살았을 것이다. 그에게는 황현도의 부가 필요했던 게 아니라, 남과 끊임없이 비교하며 열등감 속에서 살아가던 삶으로부터의 회복이 필요했다. 현실에서는 이런 마법이 존재하지 않아 정말 다행이다. 다만 우리가 해야 할 일은, 장난으로라도 "나도 재벌집 자식이었으면 좋겠다" 등의 말을 하는 사람들이 나오지 않도록 무엇이 진짜 행복인지 알려주는 것이다.

'금수저', '흙수저' 같은 단어는 2015년경부터 유행했다. 가정 형편이 결국 대학 입시와 취업까지 영향 준다고 하며 가정 형편을 금, 은, 흙 등으로 계급을 나눈다. 이는 수저계급론으로 이어져 자본주의를 공격하는 이론의 역할까지 해왔다. 자본주의가 결국 수저와 같은 계급을 만드니 자본주의를 없애야 한다는 논리다. 그런데 진짜 현실을 보니 어땠나? 흙수저를 위한 정책을 펼친다고 했지만 저소득층의 소득은 더

낮아졌고, 금수저를 그렇게나 비판하던 수저계급론자들이 더 악랄하게 자본주의의 단맛을 본 경우를 많이 볼 수 있었다. 흙수저라 불리는 사람들을 정말 위한다면 무엇을 해야 할지 많은 이들을 고민케 했다.

드라마 〈금수저〉는 이를 넘어 많은 것을 잘 짚어주었다. 이승천(육성재)이 금수저를 이용해 재벌 황현도의 아들 황태용이 되었으나 겉만 바뀌었을 뿐 자신의 진짜 매력과 흙은 여전했음을, 그래서 이승천일 때의 그를 좋아했던 나주희(정채연)는 여전히 그를 알아볼 수 있었다. 또한 아들 이승천이 부모를 바꾼 걸 안 아버지(최대철)는, 모든 게 원망스러울 수 있었던 순간에도 죽을 때까지 아들을 사랑했고 이제 남의 아들이 됐음에도 또 한 번 그를 보고 싶어 했다.

〈금수저〉의 명대사로는 두 가지를 꼽고 싶다.

이승천 자신으로 돌아가고도 재벌의 삶이 그리워 다시 황태용이 되길 원하는 이승천에게 나주희는 말한다.

"승천이로 남아줘."

그리고 황태용(이종원)에서 이승천이 되어 모든 걸 잃은 듯한 그는 오히려 재벌의 삶을 그리워하지 않았다. 자신의 아버지인 줄 알았던 황현도가 사실 권요한이었고, 황현도의 탈을 쓴 권요한은 돈만 갈망하며 황태용을 비롯한 모든 사람들에게 인간 미만의 대우를 했기 때문이다. 황태용은 그곳을 벗어나서야 비전을 찾을 수 있었고 가족의 사랑이 얼마나 소중한지 알 수 있었다. 자신의 친아버지 황현도를 보지 못한 건 아쉽지만, 실제 이승천도 죽은 지라 그는 기왕에 이승천의 삶을 살게 됐으니 이승천의 가족들에게 최선을 다한다. 이승천이 된 그는 가족과 사랑 안에서 자신의 비전을 펼쳐가고서 이렇게 말한다.

"금수저는 바로 접니다."

이 두 말은 같은 의미를 지닌다. 돈이 있어야 사랑이 이루어질 것 같고 돈이 있어야 비전을 가질 자격이 있을 것 같지만 그게 아님을 알려준다.

'금수저', '흙수저' 같은 단어가 유행했던 2015년경에 필자가 이런 단어를 장난으로라도 잘 사용하지 않았던 이유가 여기에 있다. 결국 이는 스스로 부모님 욕하는 꼴이 되기 때문이다. 자신을 "흙수저"라 하면 스스로 부모님에게 흙이라 비난하는 게 되고, "금수저"라 하면 역시 스스로 부모님에게 금상을 주는 어이없는 행동을 하는 게 된다. 이런 황당한 단어가 퍼지니 대한민국을 "헬조선"이라 비하하는 단어가 등장하는 건 당연하다.

무엇이 해결책인가? 드라마에서처럼 점쟁이 할머니를 찾아가야 하나? 부모를 원망해야 하나? 나보다 부유한 사람을 보며 시기해야 하나? 모두 옳지 않다. 많은 걸 가진 자라 한들, 가지는 것 자체가 목적이 되면 열등감은 영원하다. 황현도가 된 권요한에게 이승천 어머니(한채아)가 말했듯, 모든 걸 다 가졌다 해도 그 사람은 가난하다.

부모님의 경제 형편이 어떻든 그것과는 독립적으로 이제 성숙한 한 인간으로 살아갈 준비를 해야 한다. 부모님이 돈이 많다고 그것만 의존한다면 그것만큼 미숙한 게 없고, 부모님이 돈이 부족하다고 그것을 원망한다면 그것만큼 비참한 게 없다.

나에게 주어진 성별, 국적, 부모님 등 이 모든 것은 그 무엇보다 위대하다. 그리고 나의 상황에서 허락된 기쁨과 슬픔이 모든 것은 그 무엇보다 귀중하다. 그 누구도 빼앗을 수 없는, 결코 일시적으로 끝나지 않는 행복이 바로 여기에 있다. 당신 바로 옆에 있다.

__결혼 날짜 받으러 점집 가는 이들에게

점집 형식의 원조 토크쇼 〈무릎팍도사〉, 그것의 일반인 버전 〈무엇이든 물어보살〉. 〈무릎팍도사〉에서도 강호동이 출연자에게 "무슨 고민이 있어서 오셨습니까?"라 하며 토크가 시작됐는데 〈무엇이든 물어보살〉 역시 출연자들의 고민을 들어주는 방송이다.

고민이 있으면 점집에 가는 게 대한민국에서 꽤 보편화되어 있음을 알려준다. 무당 유튜브 채널의 높은 조회수만 봐도 알 수 있다. 무당이 알려주는 자신의 미래를 들음으로써, 즉 미래를 앎으로써 미래에 대한 불안감을 없애는 것에 대해 전혀 거부감 없는 모습이다. 오늘의 운세, 사주·타로, 관상 등을 우리 주변에서 쉽게 볼 수 있으니 당연하다. 결혼 날짜 받으러 점집 가는 문화, 그것이 20년쯤 후에 자녀 수능 잘 치는지 알고 싶어 점집 가는 문화로 이어진다. 어리석은 모습이다.

미래를 아는 것이 미래에 대한 불안감을 없애줄까? 그럼 그 미래의 미래는 어떻게 하고, 그 이후는 어떻게 하고, 죽음은 어떻게 할 건가. 즉, 미래를 아는 것이 미래에 대한 불안감을 해결해주지 못한다.

우리가 알아야 하는 건 '미래'가 아닌 '하나님'이다. 하나님께서 나를 얼마나 사랑하시는지, 내가 얼마나 귀한 하나님의 선물인지 아는 것이 우리의 불안감을 없앨 수 있는 유일한 방법이다. 나를 지극히도 사랑하시는 하나님을 안다면, 나의 계획과는 비교할 수도 없는 위대한 하나님의 계획을 안다면 우리는 미래에 대한 불안감을 가질 필요가 없다. 내 삶의 주인 자리에 나를 두지 않고, 나보다 나를 더 잘 아시는 하나님을 둘 때만 알 수 있는 기쁨이다.

__"좀비는 멀리 있지 않다"

청소년들을 대상으로 강의했을 때, 한 중학생이 질문했다.

"좀비가 너무 무서운데 어떡하죠?"

좀비를 소재로 한 영화 〈부산행〉(2016)과 드라마 〈지금 우리 학교는〉(2022)을 본 지 얼마 안 된 이 학생은 두려움에 떨며 질문했다. 어이없는 질문이지만 최대한 의미 있는 답을 해주고 싶었다.

"그런데 '지금 우리 학교는'은 19금 아니야?"

"..."

"그리고 너 오늘 올 때 스마트폰 보느라 앞을 제대로 쳐다보지도 못하던데, 폰을 하루에 얼마나 보니?"

"거의 달고 다녀요."

"그게 좀비 같은데?"

"..."

"좀비는 멀리 있지 않단다."

이 학생의 말을 듣고 심각한 고민에 빠진 필자는 〈지금 우리 학교는〉을 처음부터 보기 시작했다.

청소년이 주인공인 학교 드라마 〈지금 우리 학교는〉은 19 금이라 청소년이 보면 안 되는 드라마다. 감독의 의도가 무엇이든, 이는 학교와 학생들의 현실을 어른들이 보고 생각하도록 이끌어준다. 드라마 제목 그대로 '지금 우리 학교는' 어떤 상태인지, 학생들이 어쩌다 좀비가 되었는지 볼 수 있어야 한다.

좀비 바이러스(요나스)의 근원이 효산고등학교임에도 어른들은 무관심했다. 학교 밖으로 나간 좀비에만 관심 있고 근본은 해결하지 못했다. 좀비 바이러스는 효산시 전체로 퍼졌다. 그리고 학교 안에서 살아남은 학생들이 세상에 자신들의 존재를 알리려 컴퓨터를 켰으나 정부는 "가짜뉴스가 퍼진다"라며 인터넷을 폐쇄했다. 가짜뉴스가 있었던 것이야 사실이겠지만 정부는 어리석게도 모든 표현을 거세시켰다. 가짜뉴스를 막겠다며 국회에서 발의한 '언론중재법'(2021년 개정안)과 같다. 이에 학생들은 인터넷을 시작도 못하고 더 큰 위기에 직면했다.

효산고 교장 선생님(엄효섭)은 어땠나? 많은 학생들이 좀비로 변하는 위기에 처했음에도 혼자 교장실에 숨었다. 이런 모습은 그 전부터 드러났다. 학교폭력 피해자 학생이 있음에도 모두 숨기고 학교 이미지만 좋게 만들려 할 때였다. 그의 지독한 이기심이 보이는 순간이었다. 마치 2014년 세월호 사고의 선장, 그리고 이 사고를 정치적으로 이용하는 정치인들을 보는 듯하다.

또한 드라마를 보면, 지금 우리 학교는 카카오톡으로 선생님과 학생이 소통한다. 스마트폰으로 여학생 성폭행하는 걸 촬영하기도 한다. 실제로 초등학생만 되어도 스마트폰이 생기는 것이 오늘날의 분위기다. 과연 청소년이 스마트폰 내의 수많은 미디어를 감당할 수 있을까? 그 속에서 잘못된 문화를 보고 분별할 수 있을까? 분별력을 갖추기 위해 많은 것을 쌓아나가야 할 시기, 즉 아직 분별력을 갖추기 전인 청소년에게 스마트폰을 통한 권리를 늘려주는 것이 적절할까? '학생인권조례'를 통해 학교 내에서 스마트폰 사용 권리를 보장해준 것이 학생들의 삶을 바르게 이끌어줄까? 이는 학생들이 건전한 세계관을 쌓아야 할 시간에 미디어가 말하는 대로 이 끌려가는 좀비와 같은 어른으로 만든다.

현실의 좀비로 살아가는 어른들에 대해서는 어떤가. 그들이 수많은 경로를 통해 잘못된 세계관에 빠져 좀비처럼 말하고 행동하고 있을 때, 그들을 비판하고 처벌하는 데에만 집중하는 이들이 있다. 하지만 그것은 근본을 해결하지 못한다. 그것도 필요하겠으나, 근본을 해결하려면 또 다른 좀비가 다시는 나오지 않게 하는 것과 함께 이루어져야 한다. 이는 청소년 시절에 가장 큰 영향을 주는 가정과 학교 그리고 문화를 보고 아이들에게 바른 방향을 제시할 때 해결할 수 있다. 가정에서 자녀들의 인성보다 성적에 관심 가지고, 학교에서 학생들에게 편향된 교육과정 주입시키고, 청소년들에게 무의식적으로 악한 세계관이 들어가게 하는 문화를 키운다면 청소년들을 현실의 또 다른 좀비로 양성할 수밖에 없다.

드라마에서 좀비 바이러스를 처음 만든 건 무엇이었나? 복수심이었다. 아들이 학교폭력 당한 것에 복수하고 싶었던 과학교사 이병찬(김병철)은 좀비 바이러스를 만든다. 그리고 아들을 괴롭혔던 학생을 감금하여 바이러스 실험을 한다. 학생은 좀비가 되었고, 감금이 해제되면서 바이러스를 퍼뜨린다. 결국 바이러스는 학교폭력 가해자 학생들을 좀비로 만드는 데 성공했지만 피해자 학생들까지도 좀비로 만들었다. 물론 교장의 이기심으로 학교폭력 문제가 제대로 다뤄지지 못한 것이 이병찬을 크게 괴롭혔을 테지만, 복수와 '눈에는 눈 이에는 이'의 끝은 모두를 황폐화시킨다. 어른의 왜곡된 복수심을 끊어내지 못하면 아이들만 피해 입는다.

드라마 〈지금 우리 학교는〉은 오늘날의 학교 현실을 은유적으로 알려주면서도, 미혼모 박희수(이채은)의 아기 사랑과 박선화(이상희) 선생님의 제자 사랑 등을 보여 재미와 감동이 있다. 아쉬운 점은 억지가 많다는 점이다. 남온조(박지후)의 아버지 남소주(전배수)가 굳이 죽지 않고도 다 같이 살 수 있는데 억지 희생 장면을 그려 억지 감동을 이끈다. 또 효산시에 퍼진 좀비를 잡기 위해 폭격 명령을 내린 계엄사령관 진선무(김종태)가 죄책감에 자살하는 부분이 그렇다. 좀비 바이러스를 잡기 위해서는, 바이러스를 만든 이병찬이 말했듯 좀비를 모두 잡는 것 외에는 방법이 없고 사령관은 유일한 방법을 이행한 것이다. 거기서 사령관이 자살하는 장면을 굳이 넣은 것은, 문제 상황에 현실적인 방법을 따르는 사람들에게 굳이 죄책감을 심어수려는 짓일까.

억지 코드를 넘어 청소년의 삶을 바라보자. 청소년들을 좀비와 같은 어른으로 만드는 것이 있다면 어른이 먼저 해결해야 한다. 어리석은 정치, 어른들의 이기심과 복수심, 그리고 청소년을 향한 지나친 권리 부여가 청소년들을 좀비로 만들고 있다. 현실의 효산시에 사는, 좀비가 아닌 사람을 구출할 자 누구인가. 학교가 이를 해줘야 하나 그러지 못하면 나부터라도 나서자. 이기심과 복수심으로 뒤덮인 학교에서 학생 한 명이라도 더 지켜주려 했던 박선화 선생님처럼, 자신이 좀비가 되었을 때 자신을 묶어서라도 자녀를 지켜줬던 미혼모 박희수처럼.

__〈더 글로리〉가 넘지 못한 것

'눈에는 눈, 이에는 이'라는 복수의 원칙은 얼핏 보면 정당해보이나 사실은 매우 잔인하다. 그 복수를 당하는 이에게 보다도, 자신이 당한 만큼 복수하겠다고 마음 먹는 본인에게 사실 더 잔인하다. 드라마 〈더 글로리〉에서 문동은(송혜교)이 학교폭력 가해자 박연진(임지연)에게 "나의 꿈은 너야"라 한 것처럼, 복수심은 본인의 삶을 없앨 수도 있다. 누군가를 미워하는 마음, 그리고 어떻게 하면 복수를 잘할 수 있을지 고민하는 것으로 일생의 방향이 맞춰진다. 정말 그 사람의 꿈은 그 가해자가 된다. 문동은의 집이 가해사 사진들로 가득 채워진 것만 봐도 알 수 있다. 문동은은 '눈에는 눈, 이에는

이'도 아까워하고 이보다 더 크게 갚아주리라는 다짐을 20년
간 해왔기에 더할 것이다.

〈더 글로리〉는 그간 대한민국에서 개봉된 복수 관련 콘텐
츠를 많이 보고 그것들을 뛰어넘으려 노력한 게 보인다. 복
수하려다 중간에 어떤 계기로 복수를 멈추거나 무언가 틀어
져서 복수를 실패하는 등, 그간 대한민국에서 꽤 많이 사용
된 장면이 〈더 글로리〉 Part 1에서는 나오지 않았다. 문동은
이 박연진 딸의 교사가 되기까지 교대 입학과 학교 이사장과
의 비리 등 모두 쉽지 않았을 텐데 잘 진행되었고, 문동은
자신처럼 복수심에 가득 찬 강현남(엄혜란)과 주여정(이도현)
등이 복수의 조력자로서 함께 모였다.

〈더 글로리〉는 하나님에 대한 복수를 다룬 영화 〈밀양〉
(2007) 또한 뛰어넘었다. 〈밀양〉 이신애(전도연)는 아들을 죽
인 가해자가 "이미 하나님께 용서받았다"며 떳떳하게 잘 사
는 걸 보고 정신을 잃는다. 가해자에게 복수가 아닌 용서로
대하려 했으나 가해자가 이미 죄책감에서 풀려난 것을 본 데
에서 온 충격은 하나님에 대한 복수심으로 번져갔다. 반면,
〈더 글로리〉 문동은은 가해자 이사라(김히어라)가 대형교회
목사인 아버지와 하나님을 앞세우며 이미 죄책감에서 벗어난
것에 대해 〈밀양〉 이신애처럼 충격받지 않는다. 문동은은 그

것보다 더한 충격을 받아봤기에 아무렇지 않아 하고 오히려 이사라를 가지고 논다. 특히 문동은은 초등교사다 보니 교대생 시절 교육자로서 가져야 할 윤리관에 대해 배우는 장면도 등장하는데, 문동은은 복수를 위해 교사가 되려 한 거니 교육 윤리도 그녀에게는 무용지물이었다.

사실, 〈밀양〉의 살인자와 〈더 글로리〉 이사라 모두 기독교 윤리에 어긋난 삶을 살고 있다. 〈밀양〉의 살인자가 정말 자신의 죄를 회개했다면 피해자 유족에게 용서부터 구했어야 했다. 유족 앞에서 "이미 하나님께 용서받았다"고 하는 건 진짜 회개가 아니다. 위선에 불과하다. 〈더 글로리〉 이사라는 학교폭력 가해자에 이어 마약 중독자가 되어 버렸으니 말할 것도 없다. 이와 같은 기독교 비하를 통해 〈밀양〉과 〈더 글로리〉는 기독교에서 말하는 '회개'와 '용서'를 매우 우스꽝스럽게 묘사하고 있고, 이에 관한 선한 콘텐츠를 모두 뛰어넘으려 노력했다. 물론, 회개와 용서에 대해 애초에 왜곡되게 그려놓고 넘은 것이기에 정말 넘었다고 보기는 힘들다. 〈더 글로리〉는 그저 기독교 비하라는 틀 안에서만 웬만한 건 다 넘은 상태다.

또한, 〈더 글로리〉가 뛰어넘으려 시도한 흔적은 보이나 차마 완벽히 넘지 못한 드라마가 있다. 2013년에 방영한 SBS 드라마 〈너의 목소리가 들려〉가 그렇다. 〈너의 목소리가 들려〉 1화에서 민준국(정웅인)은 박수하(이종석)의 아버지를 죽이는데, 그 현장을 장혜성(이보영)이 목격한다. 그리고 장혜성이 이를 고발하자 민준국은 교도소에서 장혜성을 노리며 살인 계획을 세운다. 민준국은 출소 후 실제로 장혜성을 찾아가는데, 박수하가 장혜성을 지켜준다. 이후 드라마에서 대반전이 등장한다. 사실 박수하 아버지가 먼저 민준국 아내를 죽게 했다는 충격적인 사실이 드러난다. 민준국이 박수하 아버지를 죽인 것, 그리고 장혜성을 죽이려 하는 것 모두 복수심에 의한 것이었다. 장혜성의 조력자로 박수하가 등장해 다행이라는 생각이 들지만, 사실 장혜성의 더 큰 조력자는 장혜성 어머니 어춘심(김해숙)이었다. 민준국은 장혜성을 잡지 못해 어춘심을 죽이려 하는데, 살인 현장에서의 어춘심에게 딸 장혜성과 전화할 기회를 준다. 어춘심은 민준국 바로 앞에서 장혜성에게 이렇게 말한다.

"혜성아, 네 그거 아나? '눈에는 눈, 이에는 이' 그 법대로 살다가는 이 세상 사람들 모두 다 장님이 될 거다. 너한테 못하게 하는 사람들 너를 질투해서 그런 거다. 네가 하도 잘나가 부러워서 그런 거다. 그런 사람들 미워하지 말고 어여

삐 여기고 가엾게 여겨라. … 너 약속해라. 사람 미워하는 데 네 인생 쓰지 마라. 한 번 태어난 인생, 예뻐하면서 살기도 모자란 세상이다."

어춘심은 장혜성에게 살려달라 하지 않고 이 말을 유언으로 남겼다. 민준국은 황당해하며 "안 무서워?"라 묻는데, 어춘심은 민준국에 이렇게 말한다.

"안 무섭다. 그냥 나는 네가 못나고 참 가엾다. … 평생 누구를 증오하면서 살아온 것 아냐. 그 인생이 얼마나 지옥이었을까."

민준국의 속셈은 어춘심이 살려달라 하게 해 장혜성을 끌어들이는 것이었다. 하지만 모두 실패했고 더 나아가 민준국은 복수심으로 살아온 자신의 삶에 큰 회의를 느낀다.

장혜성은 어머니의 유언을 따라간다. 박수하가 장혜성을 지키기 위해 민준국을 죽이려 칼을 들 때 장혜성이 달려가 그 칼을 대신 맞았다. 결과적으로 민준국이 지켜졌지만 사실 장혜성은 박수하를 지키고 싶은 것이었다. 박수하가 민준국과 같은 사람이 되지 않기를 바라는 마음이었다.

〈더 글로리〉가 〈너의 목소리가 들려〉의 이 장면들을 뛰어넘으려 시도한 부분이 있었다. 문동은이 박연진에게 복수해 박연진 딸이 문동은 자신에게 다시 복수하더라도 복수하겠다고 다짐하는 장면이 그것이다. 여기서 두 드라마의 결정적인 차이가 드러난다. 〈너의 목소리가 들려〉에는, 어쩌면 복수심으로 불탈 수 있었던 장혜성과 박수하를 다독여주는, 어머니 어춘심으로 대표되는 '가정'이 있었다. 〈더 글로리〉 문동은에게는 없는 가정, 매우 안타까운 설정이다. 자신의 편이 되어줄 가정도 없고 학교도 자신의 편이 되어주지 못하니 모든 것을 자신의 힘으로 해결해야만 했다. 그래서 모든 것이 엇나갔다.

〈더 글로리〉 문동은에게 필요한 건 그녀가 말한 "칼춤 추는 망나니"가 아니었다. 남편에게 복수하길 원하는 강현남, 살인 당한 아버지를 생각하며 집에 수십 개의 칼을 두고 다니는 주여정 이 두 사람이 그녀에게 나타난 것은 그녀의 계획을 완수하는 데에 도움을 줄 뿐 그녀의 인생에는 도움을 주지 못한다.

그렇다고 문동은과 같은 사람 앞에서 정죄할 수 있을까? 정죄했다가는 〈친절한 금자씨〉(2005)의 금자(이영애)가 말하듯 "너나 잘하세요" 같은 말만 듣는다. 크리스천이라면 그런 아픔에 시달리는 이들에게, 혼자만의 힘으로 모든 것을 해내려는 이들에게 건전한 공동체가 되어주어야 한다. 가정에서도, 학교에서도 버림받은 이들에게 교회가 되어주어야 한다. 자기 자신만을 바라보게 하는 이기주의도 아니고, 무리에 강제로 끌어들이는 전체주의도 아닌, 건강한 개인으로 성장시켜 줄 수 있는 건전한 공동체를 선물해주어야 한다. 교회가 그들에게 가정이 되어주어야 한다. 가정이 바로 서 있다면, 상처로 얼룩진 이들에게 치유와 회복을 선물할 수 있다. 복수심에 불타 가해자에게 "나의 꿈은 너야"라 한 문동은처럼 사는 게 아니라, 하나님께서 주신 귀한 비전을 찾으며 이전과는 전혀 비교할 수 없을 만큼 멋진 삶을 살 수 있다.

__왜곡된 사랑

'모두 다 똑같은 손을 들어야 한다고,
그런 눈으로 욕하지 마.
난 아무것도 망치지 않아.
난 왼손잡이야.'

　가수 이적이 작사·작곡한 노래 〈왼손잡이〉(패닉)의 가사다. 가사 속 주인공은 자신이 남들과 다르다고 하여 자신에게 함부로 틀렸다고 말하지 말라고 한다. 왼손잡이는 틀린 것이 아닌 다른 것일 뿐이니 모두 다 오른손을 써야 한다고 강요하지 말라고 한다. 새겨볼 만한 이야기다. 꿈을 찾기 위해 노력하지 않고 세상에 맞춰 획일화된 삶을 살아가는 이들이 꼭 들어야 할 이야기다.

하지만 이 노래는 사실, 제목과 가사에 있는 '왼손잡이'를 위한 곡이 아니다. 이적은 2013년 SBS 〈힐링캠프〉에 출연해, 동성애자들이 "우리를 왼손잡이 정도로 대해달라" 하는 걸 보고 해당 곡을 썼다고 밝혔다. 그러면서 그는 동성애라는 행위가 "틀린 것이 아닌 다른 것"이라 표현했다. 왼손잡이라는 것이 틀린 게 아니라 다른 것과 마찬가지로 동성애도 그렇다고 한 것이다.

다름(different)과 틀림(false)

왼손잡이가 죄인 것처럼 여겨졌던 시대가 있었다. 유교에서 말하는 음(陰)과 양(陽)의 조화에 따라 왼쪽이 양에 해당하기에, 귀중한 왼손으로 허드렛일을 하면 안 된다는 것이었다. 이 논리는 성별을 구분할 때도 사용되어 여성은 음이고 남성은 양이라 하는 여성 차별을 일으켰으며, 동성애 역시 음과 음 혹은 양과 양의 합이기에 조화롭지 못하다고 여겼다. 이처럼 유교는 왼손잡이와 동성애 모두 다 틀렸다고 한다. 이러한 세계관으로 왼손잡이와 동성애를 바라보면, 〈왼손잡이〉에서와 마찬가지로 다른 것과 틀린 것 사이에서 혼돈이 온다.

하지만 유교가 아닌 기독교 세계관으로 보면, 왼손잡이는 틀린 게 아닌 다른 것이고[7] 동성애는 다른 것을 넘어 틀린 것이다. 또한 틀림이 존재하는 것은 옳음이 있기 때문인데, 이에 크리스천들은 유일하게 옳으시며 그 진리로 우리를 자유케 해주시는 예수님께로 틀린 것들을 인도해야 한다. 그리고 다름과 틀림의 구별을 막는, 즉 국민들이 왼손잡이와 동성애를 같은 선상에서 보도록 획일화시키는 '차별금지법'을 반드시 막아야 한다.

〈왼손잡이〉 외에도 다름과 틀림 사이에서 혼돈을 주는 문화는 셀 수 없이 많다. 〈사랑 안 해〉(백지영), 〈이러지마 제발〉(케이윌) 등의 뮤직비디오에서는 동성애가 이 노래의 가사를 더 잘 표현하는 것인 양 그렸고, 지난해 큰 화제를 모은 드라마 〈이상한 변호사 우영우〉 2화에서는 한 여성이 자신이 원하는 대로 동성애를 하는 게 독립심 있는 멋진 삶인 양 그렸다. 이처럼 동성애를 미화하며 혼돈을 주는 문화는 정치권에서도 드러난다. 이석태 헌법재판관은 2018년 후보자일

---

7) 하나님은 왼손잡이 에훗을 이스라엘의 지도자로 부르셨다.

당시 "동성애는 왼손잡이 같은 것"이라 발언하고도 임명됐다. 그 외 더불어민주당과 정의당 국회의원 중에 이와 같은 발언을 한 이들이 많은 것은 물론, 이준석 전 국민의힘 대표역시 최근 서울대 강연에서 동성애를 옹호하는 발언을 한 바있다. 우리는 이러한 흐름 속에서 분별할 수 있어야 한다.

단순한 동성애 반대가 아닌, 기독교 세계관에 따른 목소리가 되어야 한다. 그 세계관은 진리와 사랑을 동시에 담고 있다. 때문에, 동성애라는 행위가 아니라 동성애자인 사람을 공격하는 일은 결코 있어선 안 된다. 동성애자들이 동성애에서벗어나 진리와 사랑 되신 예수님께로 돌아올 수 있게 해야한다. 비교컨대, 유교에서와 같이 음과 양의 조화가 기준이되어 동성애를 반대하는 것은 결코 옳은 방향이 될 수 없다.또한, 동성애 반대를 온전히 하려면 법과 윤리·도덕도 반드시다뤄야 한다. 그래서 동성애 반대를 할 때는 과학, 철학, 법률 등 영역의 지식도 반드시 갖춰야 한다. 그것이 기독교 세계관을 전 영역으로 퍼뜨린 모습이다.

진짜 사랑은 무엇인가?

동성혼 합법화를 막기 위해서는 결국 헌법 제36조 1항[8]

을 지켜야 한다. 이 조항에 명시된 '양성평등'이 '성평등'으로 바뀌면, 성의 개념이 남녀의 성만을 말하는 sex(생물학적 성)에서 남녀의 성 외에도 성이 있다고 하는 gender(사회적 성)로 바뀌어 동성혼 합법화를 막을 법적 근거가 사라지기 때문이다. 그리고 헌법 개정은 국민의 의사가 관건이기에, 헌법을 지키기 위해서는 결국 국민들이 바른 가치관을 지녀야 한다. 어떻게 국민들에게 바른 가치를 전할 수 있을까?

필자의 조그마한 이야기를 하나 덧붙인다. 앞서 '문화는 너다' 목차에서도 짧게 했던 이야기다. 필자는 7살 차이 나는 왼손잡이 여동생이 있다. 동생이 왼손잡이가 된 것은 오른손잡이인 필자 때문이었다. 어릴 적 동생과 밥 먹을 때 항상 마주 보고 앉았다 보니, 동생은 필자를 따라 한다고 항상 왼손을 사용했던 것이다. 필자가 오른손을 사용하는 것이 마주 보고 있으면 왼손을 사용하는 것처럼 보였나 보다. 이로써 필자는 깨달은 게 있다. 어릴 적 무언가를 보고 들으면서 무의식적으로 선택하는 것이 나중 본인의 삶에 얼마나 큰 영향을 끼치는가 하는 점이다. 그리고 그 무의식적 선택에 가장 큰 영향을 주는 것은 다름 아닌 '가정'이라는 점이다.

---

8) 혼인과 가족생활은 개인의 존엄과 양성의 평등을 기초로 성립되고 유지되어야 하며, 국가는 이를 보장한다.

왼손잡이와 동성애를 같은 선상에 두는 것에 결코 동의하지 않는다. 이는 동성애 반대자들을 조선시대 사고를 가진 채 시대에 뒤떨어진 이로 몰아넣는 정치적 프레임이기 때문이다. 하지만 이는 한편으로 역이용할 수도 있는 것이다. 왼손잡이와 동성애는 모두 일란성 쌍둥이(유전자 동일) 중 해당 특성이 일치하지 않는 경우가 빈번해 선천성 주장의 근거가 빈약하고, 또한 둘 다 그 특성을 가지기까지 '무의식적 선택'이 있다는 공통점이 있기 때문이다. 그래서 이제 누군가 왼손잡이와 동성애를 같은 선상에 두고 이야기하면, 아이들이 나로부터 무의식적으로 받을 영향에 대해 생각할 수 있다. 그리고 그 영향이 선한 영향력이 되도록 나와 내 가정이 바로 서야 함을 나 자신과 주변에 일깨울 수 있다.

이처럼, 동성혼 합법화를 막고자 하는 크리스천들은 본질을 봐야 한다. 동성애 반대의 목소리를 내는 것도, 동성애 반대의 자유를 지키기 위해 차별금지법을 막는 것도, 학교 내의 동성애 옹호 교육을 막는 것 등의 일도 반드시 해야 하지만, 거기서 그치면 말짱 도루묵이 될 수 있다. '동성애는 틀렸다', '동성애는 사랑이 아니다'라고 외치는 것도 매우 중요하지만, 그럼 진짜 올바른 게 뭐고 진짜 사랑이 뭔지를 담고 있는 본질 또한 반드시 전해야 한다. 사랑은 쾌락주의도 돈도 명예도 아니며, 남녀 간의 사랑이 얼마나 아름다운 것인지 전해야 한다. 하나님께 속한 사랑만이 참된 사랑임을 전해야 한다.

__장애인 소재 콘텐츠에 담긴 선악 이분법

드라마 〈이상한 변호사 우영우〉는 2013년에 방영한 KBS 드라마 〈굿닥터〉와 비교가 많이 된다. 주인공이 천재 장애인이고 또한 그들이 소위 고위직이라 불리는 의사와 변호사가 되어 일하는 이야기를 다루고 있기 때문이다. 이런 이유로 비판도 많이 받았다. 현실의 장애인들 중 '굿닥터' 주원과 '우영우' 박은빈처럼 멋지고 예쁜 사람이 많지도 않고 드라마 속 그들처럼 천재인 사람도 보기 힘들기 때문이다.

하지만 그 비판은 동의하기 힘들다. 그동안 우리나라에서 장애인 다큐멘터리가 수도 없이 쏟아졌는데 그 방송에 '굿닥터'나 '우영우'만큼 관심이 갔나? 허구가 담겨 있기는 해도 드라마로 멋지고 예쁘게 포장하니 장애인의 삶에 많은 사람들이 관심 가지지 않았나? 그런 점에서 〈이상한 변호사 우영우〉는 〈굿닥터〉와 함께, 큰 감동을 주기에 충분한 바탕이 있었다.

〈이상한 변호사 우영우〉는 회를 거듭할수록 우영우(박은빈)와 이준호(강태오)의 러브라인을 많이 다뤘다. 이 때문에 "뻔한 이야기로 돌아간다", "변호사의 재판 사례나 장애인 이야기 안 하고 뭐하냐" 등의 비판을 받았다. 하지만 우영우와 이준호의 러브라인은 이 드라마에서 빠져선 안 되는 장면이었다. 이 러브라인 역시 장애인 인권의 본질 중 하나이기 때문이다.

드라마 10화에서는 한 장애인이 성폭력 피해자가 된 사례를 다뤘다. 사실 그 장애인은 가해자로 지목된 남성을 사랑하고 있었다. 하지만 어머니가 장애인 딸의 사랑을 인정하지 않아 성폭력 신고를 할 수밖에 없었다. 결국 그 장애인은 성폭력 피해자로, 상대 남성은 가해자로 재판이 종결되었다. 이를 보는 우영우 변호사는, 장애인은 사랑하기도 쉽지 않음을 깨닫는다.

현실에서는 어떤가? 소위 "불쌍한 사람"을 '사랑'한다고 말하는 사람들 중 상당수는 사랑이 아니라 연민이다. 그저 도와주고 싶고 어디서 피해당하지 않았으면 좋겠다는 연민, 그것을 사랑이라 착각하며 함께 있어 주지만 그 관계는 연인이 아니라 후원자에 불과하다. 드라마 10화에 나온 장애인 피해자의 부모 역시 딸에 대한 사랑보다 연민이 더 컸다. 어머니가 그 딸을 진심으로 사랑했다면 놓아줄 줄도 알아야 했다. 그저 장애인 딸을 "불쌍한 사람"으로만 보니 딸의 자유를 틀어막기만 했다.

하지만 이준호는 진심으로 우영우를 사랑했다. 친구에게 "그것은 연민"이라 비난받지만, 이준호는 그가 그저 착해서 우영우를 좋아한 게 아니었다. 드라마 2화에서 우영우가 웨딩드레스 입은 것 보고 반하는 것을 보면, 보통 사랑의 시작과 비슷하다. 말 그대로, 이준호가 우영우에게 가지는 마음은 연민이 아니라 사랑이다. 여기서 사용된 '사랑'과 '연민' 이분법, 이를 보고 감탄했다. 드라마 〈이상한 변호사 우영우〉의 극본을 쓴 문지원 작가의 섬세함이 놀라웠다.

하지만 문지원 작가가 사회에 메시지 던지는 내용을 다룰 때 사용하는 이분법은 매우 아쉽다. 그때 많은 것이 왜곡되어 나타난다. 이 드라마에서는 극단적인 두 경우를 보여주며,

둘 다 잘못된 것임에도 시청자들로 하여금 한 쪽이 더 선한 것인 양 보게 만든다. 이분법을 사용하면 안 되는 부분에서도 이분법을 사용한다.

드라마 2화의 '웨딩드레스' 사건이 그 시작이다. 이 회차에서는 딸이 아버지의 강요를 벗어나 독립심을 가지는 것이 딸의 행복을 위해 꼭 필요한 것이라는 취지의 내용이 나온다. 이는 맞는 말이다. 하지만 드라마에서 아버지를 그릴 때, 돈에 환장하며 돈만 보고 딸에게 결혼을 강요해왔고 결혼시키기 위해 종교까지도 강요하는 인물로 나온다. 그에 반해, 딸은 아버지의 강요에서 벗어나 다른 종교를 믿고, 아버지의 강요로 이루어진 결혼식에서 벗어나 자신이 정말 사랑하는 언니와 결혼하겠다고 한다. 즉, 딸은 동성애자였다. 아버지로부터 독립하면서 동성애자 언니와 함께 법정에서 나가는 모습이 매우 짜릿한 것인 양 그려진다.

이 극단적인 두 경우 모두 잘못되었으나 드라마에서는 딸의 삶이 더 선한 방향이라 묘사하고 있다. 성인이 되면 부모님으로부터 독립할 수 있어야 한다는 거나 돈만 보고 결혼을 결정하면 안 된다는 것은 맞는 말이다. 그러나 독립에 더하여 딸처럼 동성애를 하는 것까지 선한 방향이라 묘사하는 건 문지원 작가의 지나친 편향이라 보인다.

드라마 9화의 '방구뽕' 사건을 봐도 알 수 있다. 자녀 셋 모두 서울대 보낸 무진학원 원장(추귀정)의 셋째 아들 방구뽕 (구교환), 즉 이 아들도 서울대 출신이다. 그런 아들이 자신의 이름을 방구뽕으로 개명하고 자신의 직업을 어린이 해방군 총사령관이라 말한다.

"어린이는 지금 당장 놀아야 한다. 어린이는 지금 당장 건강해야 한다. 어린이는 지금 당장 행복해야 한다."

방구뽕은 이 혁명 구호를 외치며 아이들을 돕는다고 한다. 방구뽕은 학교와 학원 그리고 가정을 엄청난 암흑처럼 묘사하고, 자신은 그 암흑에서 아이들을 탈출시키는 해방군이라 말한다. 나중에는 무진학원 버스까지 빼돌리며 학원 학생들과 놀러간다. 그러다 고소당하는데, 재판 후반부에 학원 학생들이 오히려 방구뽕을 옹호한다. 방구뽕의 혁명스러운 행동이 미화된다.

물론, 드라마에도 나오듯 초·중학생에게 밤늦게까지 학원 다니게 하는 건 그 아이의 미래를 봤을 때 결코 좋지 않은 일이다. 고등학생 때 밤늦게까지 공부하는 건 필요할 수 있겠으나, 초·중학생 때는 공부 외에도 중요한 게 많다. 친구들과 노는 것, 개인적인 취미, 독서 등을 하는 것 역시 그 아이의 장기적인 성적과 미래를 봤을 때 매우 중요하다.

그런 의미에서, 아들 방구뽕을 그토록 미숙하게 키운 무진 학원 원장은 그 아들을 서울대에 보냈음에도 그다지 좋은 자녀교육을 했다고 보기는 힘들다. 자신의 학원에 다니는 초·중학생을 밤늦게까지 학원에 있으라 하는 것 역시 잘못된 부분이 있다. 그런데 방구뽕의 사상처럼, 학교와 학원 그리고 부모님의 권위 자체를 부정하며 이 모든 것이 아이들에게 피해를 준다는 식으로 말하는 것은 아이들을 오히려 망치는 일이다. 방구뽕이 어머니의 강압적인 교육으로부터 받은 상처를 엉뚱한 곳에서 풀고 있는 것이다. 이처럼 극단적인 어머니와 아들 둘 다 잘못된 길을 걸어왔는데, 드라마에서는 아들 방구뽕이 더 선한 것처럼 그리고 있는 것을 보면 마찬가지로 아쉽다.

더 황당한 일도 있다. 윤석열 정부의 '만 5세 초등 취학'에 반대하는 집회에서 방구뽕의 발언을 딴 팻말을 메인 테마로 세운 것이다.

"어린이는 지금 당장 놀아야 한다."

필자 역시 만 5세 초등 취학 정책에 반대하지만, 드라마 속 방구뽕의 미숙하고 반(反)사회적인 발언을 정치 집회에 가지고 나오는 건 상당히 어이없는 일이다. 이는 드라마 극본에서 이분법을 바르게 사용하지 못한 것에 큰 책임이 있다.

이러한 흐름은 문지원 작가가 이전에 각본 썼던 영화 〈증인〉(2019)에서도 드러난다. 이 영화도 〈이상한 변호사 우영우〉와 마찬가지로 자폐 스펙트럼 장애를 가진 여성이 등장한다. 어눌하고 산만하게 말하는 장애 여성 지우(김향기)가 증인으로 채택될 수 있는지에 대해, 순호(정우성) 변호사가 처음에는 자신의 업무에 충실하며 비판적으로 말한다. 하지만 나중에는 업무까지 내팽개치며 지우를 옹호하는 모습을 보인다. 결국 순호 변호사는 자신이 과거에 활동했던 '민변'(민주사회를 위한 변호사모임) 곁으로 돌아간다.9)

이 영화에서도 정의로운 민변과 돈에 타협한 변호사라는 이분법이 사용되었다. 민변이 하는 일이 장애인을 위하는 것이며 정의로운 것이라는 프레임 속에서 민변을 미화하는 모습이 보인다. 또 한 번 황당한 일이 아닐 수 없다. 민변이 주장해온 것들을 정의롭게만 봐야 하는 건가. 이처럼 극단적이면서도 조금씩 뒤틀린 이분법 속에서, 무엇이 선하고 무엇이 악한지에 대한 분별이 시청자들에게 꼭 필요한 상황이다.

---

9) 민변은 문재인 대통령, 노무현 대통령, 이재명 의원 등 다수의 민주당 정치인을 배출한 변호사 단체.

__인간과 동물/로봇의 선악과

술에 취해 비틀거리는 사람을 '개'로 비유하는 우스갯소리가 있다. 인간이 인간답게 행동하지 못하는 모습을 보고 일컫는 말이다. 즉, 인간과 동물 사이의 경계선이 무너진 것을 보고서 하는 말이다.

KBS 예능 〈개는 훌륭하다〉의 주인공 강형욱 훈련사는 개에게 말한다.

"너는 개야."

그 개를 키우는 사람은 오히려 개에게 "우리 아기"라 하는데, 강형욱은 "개는 아기가 아닙니다"라며 주의를 준다. 이어 강 훈련사는 그 사람들에게 말한다.

"개에게 가장 좋은 것은 개를 개답게 키우는 것입니다."

동물 키우는 사람이 천만에 가까운 시대에 꼭 필요한 프로그램이다.

개를 진정으로 사랑한다면 개를 정말 개답게 키워야 한다. 사람 역시 마찬가지다. 사람을 정말 사랑한다면 사람을 사람답게 키워야 한다. 사람인 자신 역시 사람답게 살아야 한다. 술에 취해 비틀거리며 "개 됐다"는 말을 듣지 않도록 주의해야 한다. 사람과는 결혼하지 않으면서 개랑 살고, 사람으로부터 상처받아 개에게 애정을 주고 있는 안타까운 사연들이 회복되기를 바란다.

하나님은 인간을 만들 때 '선악과'라는 경계선을 세웠다. 선과 악을 아는 하나님의 영역에 인간이 들어오지 못하게 했다. 하지만 인간은 인간이 아니고 싶어 했고, 인간은 하나님과 자신 사이의 경계선을 무너뜨렸다.

2004년에 개봉된 영화 〈아이, 로봇〉은 2035년의 일상을 그린다. 인간과 로봇이 함께 살아가는 풍경이 등장한다.

로봇은 인간과 비교도 할 수 없이 강한 힘과 완벽한 논리를 갖추고 있다. 그래서 인간이 로봇과 떼싸움을 벌인다면 인간이 이길 수 없다. 하지만 로봇에게는 인간에 대해 '감정'

과 '생각'이라는 경계선이 있어, 로봇은 인간을 돕는 존재 그 이상은 되지 못한다.

영화 속 로봇 공학자 알프레드 래닝(제임스 크롬웰)은 이 경계선을 무너뜨린다. 이로써 감정과 생각을 갖춘 로봇은 자신이 인간 아래에 있다는 사실에 분개하고 인간을 지배하려 한다. 인간과 로봇의 전쟁이 시작된다. 그리고 이 전쟁은 로봇에게 감정과 생각을 준 원천을 봉쇄하고 나서야 끝이 난다.

경계선이 무너지는 순간 세상은 황폐화되었다. 처음에는 경계선 아래에 있는 존재인 로봇이 이기는 듯했다. 하지만 경계선을 다시 세우는 버튼 하나에 로봇은 인간에게 바로 엎드렸다.

경계선은 지켜질 때 가장 큰 아름다움을 만들어낸다. 경계선은 이 선의 아래에 있는 존재를 억압하는 것이 결코 아니다. 그 존재를 지어진 그대로 살게 해줄 뿐이고, 그것이 그 존재에게 가장 큰 행복을 가져다준다.

로봇은 로봇답게 살 때 가장 귀중하다. 로봇이 인간의 영역에 침략하려 해봐야, 버튼 하나로 패배할 전쟁을 할 뿐이다. 인간 역시 인간답게 살 때 가장 행복하다. 인간이 스스로 로봇의 자리로, 혹은 하나님의 자리로 가는 것은 황폐화를 이끌 뿐이다. 선악과는 하나님의 엄청난 지혜이자 사랑이었기 때문이다.

로봇을 정말로 아끼는가? 그렇다면 로봇에 감정과 생각을 넣어선 안 된다. 그리고 인간인 자기 자신을 정말로 아끼는가? 그렇다면 인간의 자리를 반드시 지켜야 한다. 유전자 조작으로 '맞춤 아기'(designer baby)를 만드는 '인간의 로봇화'가 아기의 삶을 행복하게 만들어주지 않는다. 인간을 인조인간으로 불리게 하는 성형 중독이 인간을 예쁘게 만들어주지 않는다.